Les cordelettes de Browser

DU MÊME AUTEUR

L'Image, Paris, Atlande, 2007
La Meilleure part des hommes, Gallimard, 2008
Mémoires de la jungle, Gallimard, 2010
Nous, animaux et humains. Actualité de Jeremy Bentham, Bourin Éditeur, 2011
Forme et objet. Un traité des choses, Presses universitaires de France, coll. « Métaphysiques », 2011
En l'absence de classement final, Gallimard, 2012

Tristan Garcia

Les cordelettes de Browser

roman

DENOËL

À la mémoire de ma grand-mère Carmen

« Elle est retrouvée,
Quoi ? – L'Éternité.
C'est la mer allée
Avec le soleil. »

Arthur RIMBAUD, *« L'Éternité »*.

« Non, cher ami, avait-il murmuré tristement, elle n'est pas en vie, absolument pas, elle est seulement réanimée, il vous faut apprendre à faire la distinction. »

Robert SILVERBERG, *Né avec les morts*.

DREAMER WALLACE

1
Une propriété

Lorsqu'il sortit de la douche, rien n'avait changé.

Il était presque nu, comme toujours.

Son corps, pourtant alourdi par l'eau, semblait supporter le monde comme un poids plus léger et plus doux. Dreamer Wallace était heureux. Il quitta sa belle salle de bains blanche, envahie de lumière.

Il bâilla, puis se détendit.

Ouvrant son peignoir jaune souple et pelucheux, il s'allongea dans la salle de repos, un hexagone bleuté au toit légèrement convexe, qui esquissait derrière ses paupières déjà somnolentes un dôme rassurant et flou.

Quand il se réveilla, rien n'avait changé.

Dreamer Wallace sentit monter en lui une pointe de force et d'énergie, mais qui n'était fort heureusement la promesse d'aucune douleur à venir. Il l'employa à rouvrir les stores et musarder autour de sa large propriété. Tout tenait sa place à merveille. Quelle joie de marcher pieds nus sur ce parquet verni, couleur de vin, parmi l'odeur de lavande et de pin. Il se demanda s'il y avait de la poussière, mais une telle éventualité semblait proprement impossible.

Cette pensée sortit de son cerveau et elle n'y revint pas.

Les couloirs ressemblaient à des rêves tranquilles. On regrettait presque d'en sortir et de trouver un aboutissement à cette déambulation dans une coque de verre et d'acier protecteur. La disposition des pièces se chargeait de prévenir ce léger pincement au cœur. Les salles se repliaient toujours en forme de coquille d'escargot, permettant de ne jamais perdre de vue l'entrée depuis la sortie, au travers d'imposantes baies vitrées.

Parfois, la vitre paraissait parler et le culpabiliser. « Tu ne sors pas, tu ne fais rien. »

Dreamer Wallace savait comment réagir. Il partait dans sa chambre, à pas comptés mais le cœur battant.

Sa chambre était un printemps. Le lit s'offrait comme une fleur et tous les murs, tous les meubles frémissaient à la manière de beaux et grands arbres blancs alentour.

Il ouvrit la petite Console de bois posée au sol dans un coin d'ombre, tout en pensant à ce que lui avait murmuré la fenêtre. Dreamer tremblait, saisissait l'une des cordelettes situées à l'intérieur de la Console, puis il respirait, refermant le couvercle avec précaution.

Quelle belle journée. Il aurait volontiers pris une douche. Non qu'il se sentît sale, mais pour le plaisir simple de l'eau, des gouttelettes, de la buée et de l'intense engourdissement de son être tout entier.

Dreamer Wallace laissait le soleil réchauffer son crâne, allongé sur la chaise longue, au bout du promontoire d'acajou monté sur pilotis, au sud de la propriété. Il n'avait pas de cheveux, protégé par un auvent et un toit minutieusement tressé. Et quand son corps lui semblait sec, il se relevait, ses doigts défroissant avec soin la chemise large et épaisse qui lui caressait le torse et les épaules.

Il marchait.

La main sur la rambarde, la paume massée par la matière caoutchouteuse, Dreamer contemplait à l'air libre le parfait gazon vert de mai ou vert de jade qui formait autour des bosquets jaunes et des rocs au dos lisse et gris une mer duveteuse, striée délicatement puis s'estompant jusqu'à des courbes marécageuses aux limites de ses terres, sous le ciel bleu.

Dans la cuisine, il s'aperçut qu'il avait faim. Il n'eut de ce besoin du ventre que le désir et pas le manque, les contractions au fond de l'estomac. La salive devint dans sa bouche comme l'eau d'un baptême, la promesse d'une renaissance. Déjà, il lui semblait pouvoir sentir les aliments, les ingrédients bruts qu'il tournait et retournait dans sa main et dans son esprit : chaque légume, dont il imaginait la provenance, la lente maturation dans la terre, le goût et la pureté de la peau propre, de la pelure ; l'huile qui lui brossait les ailes du nez ; le lait de couleur, la crème de soja, le beurre végétal... En lui-même paraissait se faire le mélange onctueux, en d'exactes proportions, de toutes ces délices.

Et voilà qu'il était assis.

Une table sans nappe, une assiette sans couronne. L'hygiène irréprochable de la salle, le silence et l'eau dans le cristal de sa coupe : tout atteignait à la plus juste et la plus normale des harmonies. Il en fut terrassé de contentement et, tirant les rideaux avec ce discret craquement qui appelle chacun au soir et à sa splendeur stellaire, Dreamer Wallace prit le chemin serein qui le menait à l'alcôve et au génie de ses rêves.

C'était sans un souci, sans une crainte qu'il partait. Il savait qu'il y aurait toujours le matin à la fin, il savait qu'il lui fallait prendre le soir comme il venait, sans avant, sans après, simplement parfait.

Et quand il se réveillait, rien n'avait changé.

2

Un jardin

Il avait tiré de la Console d'un demi-mètre de long et d'un quart de mètre de haut les petits nœuds enroulés par myriades. Il en laça ensemble deux ou trois, comme du lierre. Sur commande, une vaste serre sortit alors du bâtiment rectangulaire orné d'une voûte rouge et de grands panneaux orangés. Il regarda les fleurs éternellement fleurs. Pas de bourgeons sur les branches, aucun pétale tombé au sol. Dreamer Wallace sortit de la serre et mangea sur la pelouse des noix sans les coques.

Il s'étira, son corps épousa l'herbe sur toute sa longueur. Dreamer connaissait le nom de tous les parfums, il savait par cœur chaque boulette d'humus, chaque brin de verdure. Il couva du regard une petite motte isolée, un sillon de travers dans le terreau et cette tige si particulière qui n'était jamais dans l'alignement des autres. Quand son regard se fut assuré de tout, il foula du pied les brindilles délicates. Le soleil était haut et tout restait silencieux. Et quand le soleil fut bas, Dreamer se leva.

Au crépuscule, il contournait la serre et passait au beau milieu du jardin presque violet – par contraste avec le jaune du ciel. Un concept de chien l'accompagnait toujours, une idée de chat les rejoignait. En toute harmonie, ils partaient tous trois profiter de la fraîcheur, de l'herbe drue et de son odeur nocturne. Une souris imaginaire passait à la lisière des calmes champs de blé ; le chat l'ignorait.

Dreamer Wallace s'appuyait sur son bâton tendre et noueux. La fatigue le frappait toujours avant toute forme de souffrance.

Il abandonnait alors tous les animaux, discrets jusqu'à l'invisibilité. Assis sur le banc adossé au portique d'entrée, contemplant l'immense pelouse et le croissant de sable blanc, il admirait la tour en verre, spiralée de métal noir, il chérissait la grange surélevée, au toit triangulaire en ardoise bleu-gris, il détaillait avec fascination la tour carrée médiévale et la petite citadelle complexe où s'emboîtaient sans contradiction un cylindre jaune citrin, un phare crépi couleur cyan, des passerelles et des balcons asymétriques.

Il y avait assez pour faire un monde. De l'harmonie, de la disharmonie, de l'orage et de la paix, de l'utile et de l'inutile, de la géométrie, des matériaux, des styles d'époques différentes, quelque chose d'humain, quelque chose qui ne l'était pas.

Dreamer Wallace le savait : depuis que l'Éternité était arrivée, rien n'arriverait plus jamais. C'était tout. Et il en retirait un bonheur soulagé, puis un bonheur tout court, parce qu'il n'existait rien, vraiment rien de mauvais, de quoi Dreamer aurait pu imaginer être soulagé.

3

Un rêve, un voyage

Une fois propre, il s'approcha du miroir de la salle de bains. Il ressentit un choc comme il en connaissait chaque fois : il se vit.

Dreamer Wallace avait une bonne dizaine de milliers d'années.

Il était gris, il était marron. Sa peau avait la consistance de la pierre, plus minérale encore. On n'apercevait plus qu'une très mince lueur au fond des pupilles écrasées par les masses de plis et les plaques de chair. Un très vieux lézard. Dreamer Wallace se tenait courbé et on ne distinguait aucun endroit, aucun lieu en particulier sur son corps. Du cou aux mollets, c'était le même paquet informe et figé, craquelé de petits triangles épais de corne, qui piquetaient la mosaïque chaotique de son épiderme. Il portait deux bourrelets pour les bras et deux pour les pieds. Il ne souffrait jamais : son corps marchait à la perfection. Mais le temps continuait de le sculpter, à vide et sans conséquences. Sans l'affecter, mais tout en pesant insensiblement sur lui. Dreamer Wallace savait qu'il avait toujours eu le même âge, année après année.

Comme d'habitude, il se rendit dans le hangar vert de jade et bleu turquoise.

Un véhicule blanc l'attendait. Il flatta de sa paume cornée la porte de l'engin et s'installa au volant – lumineux, délicatement courbé et parfaitement inutile. Il tapa ou bien pensa qu'il tapait le nom de son bon ami Doug sur les petits écrans à ses pieds. Les cristaux liquides résonnèrent, émettant une lumière diffuse.

Il en avait pour un moment – peut-être moins qu'un instant, peut-être plus. Ni rapide ni lent, il fila à l'intérieur du galet blanc quittant sa propriété et glissant au-dessus des herbes les plus hautes. Il reconnaissait les pierres, les arbres, les nuées aux abords de sa demeure. Les moindres détails du monde le plus lointain, sa mémoire en contenait le plan parfait, imprimé à peine moins profondément que celui de sa propriété. Après s'être assuré que le paysage n'était après tout qu'une maison sans dehors ni dedans, il rêva.

Dreamer Wallace ne changeait jamais de rêve.

Il ne le connaissait pas par cœur et, à vrai dire, il ne le connaissait même pas du tout ; en revanche, le rêve, depuis le temps, le connaissait sur le bout des doigts. Son rêve le trouvait sans peine. Toujours pareil : il rêvait qu'il était nu. Alors une voix s'élevait pour dire, au cœur même des choses : « Dreamer, es-tu certain d'être nu ? » Il se regardait et s'apercevait qu'il était velu. Il découvrait dans sa main une machine impitoyable. Comme la Console, mais plus petite, affinée et d'aspect métallique. Elle permettait d'extraire les poils à la racine et laissait la papille du derme orpheline.

Avec un soin incalculable, Dreamer ôtait une à une les touffes poussant et repoussant sur ses doigts de pieds. Puis remontait le long des jambes, à l'intérieur et à l'extérieur. Chaque poil glissait peu à peu hors de l'épiderme, découvrant une minuscule boule blanche au bout de la tige noire. Dreamer se rasait le pubis en triangle, puis derrière les testicules jusqu'aux limites de l'anus. Il adorait arracher à son muscle horripilateur chaque petit poil roux de son gros ventre, tout autour du nombril, et dans le dos. Poitrine rougie mais impeccable. Il débroussaillait ensuite les mottes fournies, sous ce qui lui avait jadis servi de bras. Ah, ce délicieux moment où la gorge ressemblait à la peau d'une poule bien plumée.

Il était rasé. Pas de cheveux. Pas de sourcils. Retirés, les cils et l'herbe de ses oreilles. Les cavités de son nez pouvaient laisser filer la morve sans résistance.

Il demandait s'il était nu, à présent.

La voix désignait les ongles de Dreamer Wallace. Il se les retirait dans l'ordre, de gauche à droite.

Et maintenant ? La peau ? La voix disait : « Dreamer, tu ne seras jamais nu. »

À cet instant précis du rêve, tout en s'écorchant Dreamer Wallace trouvait le courage de s'enquérir auprès de la voix omnisciente : « Qu'est-ce qu'il restera ? » Personne ne lui répondait – il se réveilla.

Et quand il se réveillait, rien n'avait changé.

4

Chez un bon ami

La Nature se trouvait divisée en vastes propriétés, comme aux siècles passés de la rente et des propriétaires terriens, à ce que disaient ceux qui s'intéressaient à cette période, à ceci près qu'il ne s'agissait plus de domaines aristocratiques. Tout avait été également découpé entre les hommes en territoires autosuffisants. Dans l'éternité, plus personne ne supportait le commerce confus de ses semblables et chacun appréciait sans curiosité ni nostalgie la plus extrême solitude.

Partout la campagne était nuancée, vallonnée, entrecoupée de champs et de forêts. Il n'y avait presque plus de mers, mais des bords de mer à foison. L'espace des anciens océans s'était trouvé redistribué entre les terres nouvelles et à peine un demi-millier de personnes – pour autant qu'on imagine un cadastre et des registres de l'Éternité – se partageaient d'immenses jardinets. Ni routes ni clôtures. En dégradé depuis les murs de chaque maison, le propriétaire considérait que sa propriété s'estompait, sans jamais vraiment commencer ni finir, jusqu'à se fondre et se confondre dans les propriétés adjacentes.

Dreamer Wallace sentit les lignes sinuer les unes dans les autres.

Les collines devinrent des vallées, le marron des marais embruma les beaux blés de la plaine. On distinguait avec difficulté l'humide et le sec. Il fut enthousiasmé par ce très charmant tableau, à la fois satisfait de posséder sa maison personnelle loin d'ici et émoustillé à l'idée de traverser d'autres territoires. Aux lisières de la clairière, il devina une source ; le froid brumeux de l'endroit s'insinua dans le véhicule lui-même.

Dreamer Wallace sortit, le corps pataud, afin de humer l'odeur délicate comme une toile d'araignée et limpide comme de l'eau – c'était le parfum des arbres sempiternels, il le reconnut. En contrebas derrière le bois se dressait le splendide manoir automnal de l'ami Doug. Le spectacle fit chaud au cœur de Dreamer Wallace. Il retrouva les grands murs rouge et vert, débordant de plantes cultivées en terrasses.

Le soleil découpait des bandeaux alternativement opaques et luminescents sur la vaste façade orange, étagée.

Lorsque Dreamer Wallace passa l'allée de pommiers, il reconnut tout au bout l'ami Doug qui lui sourit comme par le passé. Rien n'avait changé. Auprès du foyer de la lumière, l'ami Doug ressemblait à une tige toute sèche : la peau adhérait directement à ses os, bleue, et il n'avait plus à proprement parler de nez, seulement des trous. Toujours le même vieux Doug. Au début, ils n'osèrent guère utiliser le langage ; c'était précipité. Ils se regardèrent. Rien de nouveau. Que dire de plus ? Ils choisirent de boire et de manger ensemble.

Doug articula avec audace : « Comment vas-tu ? »

Dreamer Wallace retrouva le goût particulier de cette phrase si classique. Un bouquet de pareil, de même et d'identique. Il fut rassuré : il l'avait entendue des milliers et des milliers de fois. Il respira. Il articula : « Bi-en. » Un long silence. « Et toi ? »

Doug prit entre ses mains ridiculement plates le lourd et réconfortant bol épais, grumeleux, moitié plein de jus de pomme du verger. Il dit : « Bi-en. »

Dreamer Wallace constata qu'il n'avait pas oublié ce que signifiait le bonheur de deviser avec un bon ami, dans un jardin, à l'ombre, à boire le nectar à la fois aquatique et terreux de la pomme d'Éden. Ils étaient assis comme ils l'avaient toujours été, sur de confortables chaises transatlantiques rembourrées. Tout était dit. Ils ne se regardèrent pas et Doug ne lui fit pas faire le tour de la baraque. Dreamer Wallace se souvenait de la moindre plinthe du moindre couloir, et de chaque veine du marbre de la cheminée.

Ils demeurèrent dans le jardin et la pluie tomba peu à peu sur les arbres. Une forte pluie.

Ils ne surent trop comment réagir l'un pour l'autre. S'étaient-ils déjà rencontrés sous la pluie ? Dreamer Wallace sentit l'asthme monter à travers son torse. Doug se montra plus prompt à éviter l'incident : il le toucha, ils frissonnèrent de concert, désarçonnés, et tremblant sous l'averse qui courbait les feuilles et les herbes, ils rentrèrent.

Les deux hommes parurent circonspects quant aux conséquences des événements qui se pressaient désormais : la pluie, un rapide contact physique. Et après ? Doug accompagna Dreamer Wallace à travers l'atrium. Une collection de centaines de caisses de poudre, de nitrate, de chlorate et de soufre, d'explosifs pour feux d'artifice : Doug aimait la pyrotechnie, mais n'avait jamais fait sauter quoi que ce soit. Jadis tout feu tout flamme, il était devenu l'homme le plus flegmatique qui soit ; l'Éternité l'avait domestiqué. Il se contentait depuis lors d'exposer les bombes à mèche derrière des vitrines, sur des présentoirs en porcelaine. En les longeant, ils passèrent dans la plus grande pièce au plafond en ivoire. Doug se dirigea vers un coin où trônait la Console en bois, couverte d'un motif d'osier ; une chouette figée reposait sur le couvercle. Elle se tenait droite, moirée, écarquillée, comme saisie par un profond sommeil et les yeux vides. Le temps que Doug en manipulât les cordelettes, Dreamer Wallace remarqua qu'elle possédait de saisissants sourcils. Et puis…

Quand ils se réveillèrent, une bouffée de joie leur rappela le merveilleux temps qu'ils avaient passé ensemble. Pas la peine de parler, un regard suffisait. Un beau séjour, assurément. On ne se promit rien. C'était sûr et certain.

L'ami Doug raccompagna Dreamer Wallace à son véhicule. La pluie tomba dru, elle n'arrêtait jamais de tomber. Toujours déjà tombée. Le jardin s'embruma. Ils pensèrent :

après le beau temps, la pluie, et après la pluie, le beau temps. C'était ainsi, c'était la vie.

Et Dreamer s'en alla le cœur léger.

5

La pluie et l'ennui

Il y avait depuis quelque temps un je-ne-sais-quoi d'excessif dans le déluge qui s'abattait, rude et morne, sur les flancs de son véhicule.

Dreamer Wallace s'arrêta non loin d'une rivière, en haut d'une colline ciselée de bosquets et surplombant une région marécageuse calme et sourde, débordant peu à peu sur les buissons, sur les hêtres et les acacias, les bouleaux et les fougères. Le ciel avait pris la teinte d'une terre ocre-orangé. Silencieuse, la pluie avait conquis tout le territoire, enseveli rapidement, sans la moindre résistance.

Au début, la perspective du déluge effraya Dreamer Wallace. Il ne pouvait supporter de rester enfermé dans son minuscule véhicule alors que le paysage variait à ce point. Aucune Console à portée de main – quelle imprudence. Jamais il n'avait expérimenté pareille situation.

Les gouttes tombèrent comme des parpaings. On ne voyait plus rien. Pourquoi était-il parti de chez Doug ? Pourquoi l'ami Doug l'avait-il laissé s'en aller ?

Il haleta.

Le sommet des arbres surnageait à grand-peine, des

torrents emportèrent vers un flou incolore des surfaces vaguement vertes et tout prit l'aspect de l'indistinct. Peu à peu, nimbé par la vapeur fraîche et cotonneuse, perché sur un contrefort rocheux, il découvrit le plaisir pervers de croire qu'il se passait quelque chose d'inédit – juste parce qu'il avait oublié quand et comment cette chose avait déjà eu lieu.

Il jeta un œil en direction du vide blanchi et écumeux des feuillages dégoulinants. Tout sentait tellement bon.

Alors il plut moins fort et, tracé imperceptiblement sur la vitre embuée de son véhicule, un mot devint lisible et gagna en netteté à la mesure de l'éclaircie. Il déchiffra avec difficulté ce mot inconnu, écrit par le hasard en quelque langue étrangère.

Il était écrit : « Ennui. »

Quel en était le sens ? Le terme n'existait pas, à sa connaissance. Deux syllabes : « En-nui. »

Les formes de la nature retrouvèrent leur acuité et leur paisibilité. Par-dessus les mares, les buttes surnageaient comme toujours et de longues branches flottaient comme des bras tranquilles. Gris d'argent, la surface se bleutait du reflet du ciel éternel.

Dreamer Wallace retourna à la maison.

Quelque chose avait craqué. La demeure lui apparut lézardée, envahie par des flots de boue. Le ponton jusqu'à l'escarcelle sur pilotis, brisé. En sortant de son véhicule, Dreamer Wallace contempla la voûte rongée du garage, le hangar affaissé, le phare sali.

Sans cesse lui revenait cette phrase sibylline : « Les

choses changent et s'abîment. » Il découvrit le cabanon détruit près de la serre, le hall dégoulinant de vase. « Les choses changent et s'abîment. » Dreamer Wallace bâilla. Dormir. L'idée ne l'enchantait qu'à moitié, car il y avait à faire. Réparer. S'en souvenir. Oublier. Il sourit :

« C'est l'en-nui. »

Il se demanda pourquoi dormir, puisqu'il n'avait pas faim.

Dreamer Wallace resta éveillé et le jardin ternit à vue d'œil. La terre jaunit par plaques irrégulières, les plantes rachitiques dégringolèrent des murs, le lierre lâcha prise. Comme le propriétaire ne prêtait plus attention à sa demeure, elle fuyait de partout. Le plafond se fissura. Les rambardes de métal rouillaient. Le verre fendu redevint sable. Le silo dans la tour médiévale s'enfonçait et tout crevait sous son propre poids, à la manière de sacs trop pleins.

Dreamer Wallace, parfois, avalait sans y penser de pleines poignées de crème sale et brunie. Puis il vomissait. Il évita la chambre et la Console. Il dormait par terre quand il s'écroulait, non par envie mais parce qu'il ne parvenait plus à résister.

Partout, à travers les fenêtres, il ne voyait plus le gazon et les arbres, il n'apercevait qu'un seul mot, écrit en fumée dure et grasse : « En-nui. » Il donna ce nom à tout. Ce mot montait de partout comme la vapeur d'un sol brûlant. En-nui, en-nui, en-nui…

Et puis vint le temps où il s'apaisa. La façon même dont les choses s'abîmaient s'abîma. Il ne manquait qu'une dernière touche à ce monde définitif.

Un matin, dessiné sur le miroir de la salle de bains encombrée par la poussière, il devina enfin le mot qu'il avait toujours attendu : « Mort. » Il erra de salle en salle. Sur la porte cassée de la serre, il vit de nouveau les lettres de « mort » qui se couvraient de buée. Il s'approcha et le dessin se fit fuyant. Chaque fois qu'il apercevait le paysage, il reconnaissait les lettres qui se dessinaient sur les arbres, parmi les herbes et à travers champs, à l'infini. Mais quand il esquissait un pas vers l'avant, le mot disparaissait.

Et il regardait ce monde.

Les jardins sous la pluie, tendres et doux, toujours les mêmes… La maison, sereine, agréable… La nourriture, e sommeil. Depuis sa position allongée, il voyait encore es bâtiments en planches claires au-dessus de la baie vitrée noire et éclairée, puis le silo en bois, ceinturé d'un tour de garde avec rampe et balustrade écroulée. Au-dessus du silo, une cabine en verre fêlé, octogonale, et les nuages.

Il se sentit un explorateur, le plus grand de tous les temps. Celui qui découvrirait la « mort » le premier.

6

Dans le Chalet de l'État

Dreamer Wallace savait qu'il n'existait dans le monde que des individus, sis chacun en sa propriété, mais certains de ces individus possédaient mieux qu'une simple Console de bois. Ils formaient le concile des Responsables et l'un d'entre eux gardait chez lui le Placard de l'État. Cet homme n'habitait pas particulièrement au centre, car chacun résidait au milieu de ce monde. Le hasard d'un vote l'avait il y a longtemps désigné pour accueillir chez lui le Placard. Il s'appelait Spencer Jack.

L'homme habitait dans la montagne un chalet biscornu et grand comme mille manoirs, qu'on appelait le Chalet. Dreamer Wallace envoya par un tuyau à air comprimé un carton bristol à Spencer Jack, puis il rangea la maison, afin de sauver les apparences.

Dreamer Wallace s'assit devant la Console. Il l'ouvrit, rechercha le chemin du Chalet, tout au fond. Il s'en souvint non sans mal. Avec fébrilité il tenta du même coup, parmi l'entremêlement ancestral des cordes les plus profondes de la Console, d'arranger l'état calamiteux de son organisme. Il fallait qu'il soit présentable.

Il fit du mieux qu'il pouvait, s'habilla comme lorsque sa mère s'en occupait. Engoncé dans une chemise blanche, des mocassins, un pantalon de velours, il prit l'air d'un éléphant fou, déséquilibré, dans la tenue d'un jeune premier désuet depuis des siècles. Il était prêt.

Dreamer Wallace se tenait à présent devant une montagne, au milieu de la grande plaine de nulle part. Il se souvint être venu ici lorsque chacun d'entre eux avait reçu sa Console personnelle. Sans cesse il en sortait du Placard de l'État, des Consoles. Il suffisait d'en réclamer au Chalet. Tout le monde n'avait pas voulu, tout le monde n'avait pas pu. Ceux-là… Ils n'avaient jamais existé, puisqu'ils n'existaient plus. Dreamer Wallace se délecta du mot qu'il avait trouvé pour dire : ils sont « morts », ils sont morts, morts, morts. Lentement, il s'avança vers le portail en fer forgé.

La montagne était monumentale, dégoulinant de végétation en fouillis et de racines suspendues, le long des pentes rocheuses abruptes, découpées de terrasses de bois et de ciment, comme les multiples faces d'un diamant sculpté en forme de totem indien. Tout en bas, une guérite, une tonnelle et une porte – qui s'ouvrit.

Spencer Jack ? Un grand homme aux cheveux blancs recoiffés en arrière, souriant, cérémonieux, le nez épais, les mains larges et le front attentif. Il accueillit Dreamer Wallace d'une tape amicale dans le dos.

« Comment allez-vous, Dreamer ? C'est la première fois que vous revenez ! »

Dreamer trembla.

« Rentrez, allons au sommet... L'ascenseur est au fond, derrière la palissade. Ne faites pas attention aux plantes, j'étais en train de m'en occuper... »

Ils pénétrèrent dans une cage de boiserie brillante, aux reflets de palissandre, tapissée de vitres. Dreamer avait un peu... « Peur », oui, c'est bien cela. Il se découvrit démultiplié par milliers dans les miroirs – et n'avait nulle part où se cacher. Spencer Jack avait ôté ses gants élastiques de jardinier ; il pressa sur le bouton supérieur du tableau de bord. Les portes se refermèrent. Il n'y eut bientôt plus qu'eux et les miroirs. Spencer Jack se pencha vers Dreamer Wallace, cette masse informe.

« Vous n'avez pas le vertige, n'est-ce pas ? »

Dreamer Wallace frémit, ce que l'autre tint pour un acquiescement.

Les portes s'ouvrirent sur une terrasse immense, blanche, décorée de discrets motifs d'art nouveau, saturée de plantes vertes et cerclée de rondins de sapin, de rampes d'acier. À l'infini, on apercevait la Terre de tous côtés. Spencer Jack le poussa dans le dos. Il lui désigna un point au loin, sur la mer verte tachetée de marron, ciselée de prairies, de bocages et de couleurs changeantes sous l'ombre des nuages.

« Votre propriété. La voilà. Vous souvenez-vous de la première fois que je vous l'ai indiquée ? Vous étiez heureux. »

Dreamer émit un son subhumain.

Spencer Jack le fit asseoir. La table était mise. Il y avait sur la nappe à motifs floraux un authentique festin de crèmes, de légumes crus et cuits, de fruits, d'algues, de biscuits, de galettes, de pains et de graines. Des coupes emplies de jus et de glace.

« Vous avez faim ? »

Délicieux. Dreamer Wallace engloutit les deux tiers de ce qui se trouvait présenté sur le buffet. Il fut de nouveau heureux d'avoir un corps ; il ressentit la fraîcheur, l'amertume et l'acidité, la salive sucrée, les épices, le croquant, le fondant – c'était tout un monde qui se reconstruisait dans son palais. Spencer Jack l'accompagna par politesse. Puis il s'arrêta et fuma lentement une cigarette mentholée en le regardant. À la fin, ils restèrent tous deux silencieux, sans rien faire. Ils regardaient côte à côte le soleil se coucher d'un côté de l'horizon et, s'ils tournaient la tête de l'autre côté, ils pouvaient déjà le voir se lever.

Spencer Jack fureta derrière les rhododendrons, en écartant délicatement les feuilles. Sous les plantes se trouvait une sorte d'armoire profonde et noire.

« Le Placard de l'État. On ouvre les Consoles individuelles : les choses apparaissent. On referme le Placard : les choses disparaissent. C'est ainsi. »

Dreamer Wallace bava tel un enfant en bas âge : « Mort ? »

Spencer Jack sourit sans répondre. « Nous avons passé un bon moment. Je dois m'occuper des plantes. Allons, un dernier plat de germes et de haricots avant de partir ? »

7
La mort au fond du Placard

Dreamer s'attaqua aux légumes verts à l'aide d'une fourchette en argent. Il planta les piques dans la chair du légume et enfonça l'ensemble dans sa gorge, sans grâce ni habileté. Spencer Jack l'observait toujours, devinant le fond de sa pensée. Dreamer Wallace se dirigea avec son assiette vers les épais rhododendrons, tandis que Spencer Jack repassait devant lui, soupçonneux. Dreamer avait la bouche pleine, la fourchette à la main. Il marmonna : « Mot... »

Spencer Jack se détendit quelque peu. « Ah, oui... Vous l'aviez remarqué lors de votre première visite ? »

Décontenancé, Dreamer Wallace garda les bras ballants.

« Le mot est à demi effacé, mais on peut le déchiffrer. Et nous sommes sûrs que c'est Browser en personne qui l'a gravé. Pourquoi ? Nous n'en savons rien. »

Dreamer Wallace se pencha sur le bois sombre du Placard, semblable à n'importe quel autre bois, linéamenteux. On devinait – si on faisait bien attention – un minuscule graffiti gravé dans le bois, qui paraissait gras en cet endroit. Les lettres formaient dans la boiserie un rift irrégulier.

Il y avait écrit : « *Quel était son nom ?* »

Spencer Jack se pencha aussi et, l'air badin, il demanda sans y penser : « Alors, Dreamer ? »

Dreamer Wallace brandit d'excitation sa fourchette, le bras tendu, et il brama soudain : « "Mort" ! C'est "mort" le nom ! »

Il semblait un… animal, un organisme unicellulaire flasque et agité, un être des mers rejeté suffoquant sur le rivage aride, un vieux lézard, un quadrupède maladroit, un singe d'avant l'homme, un monstre de l'avenir. Spencer Jack ne put réprimer un cri et se couvrit la face avec le bras droit. Dreamer Wallace ne maîtrisa pas son geste : au terme d'un mouvement hasardeux, il planta la fourchette dans la gorge offerte de Spencer Jack.

Le sang coula.

D'un coup d'un seul, Dreamer Wallace ouvrit grand le Placard et tomba nez à nez avec un néant absolu, compact – presque marbré. Il regarda Spencer Jack qui tremblait encore, en proie à des convulsions, une agonie qui aurait pu être éternelle, et sans réfléchir il le projeta dans le rien. Il sembla immédiatement que le fait même *qu'il ait existé* devînt douteux. Son nom ? Le nom de qui ?

Dreamer Wallace prononça d'un ton emphatique : « mort ». Il reprit le cours de sa respiration et, le cœur battant comme jamais, se projeta à travers le Placard.

Et rebondit.

Le néant miroitait à la façon d'une sorte de tapisserie de verre changeant. Il avait perdu toute sa profondeur et beaucoup de son attrait. Dreamer Wallace essaya encore une fois, en vain. Il referma le Placard et s'assit au bord de la terrasse, sous les innombrables lauriers. Il avait donné la mort, il ne pouvait la recevoir.

Dreamer contempla le paysage infini, d'une fadeur jaunâtre et d'un vert glauque sans appel.

Et puis il attendit.

8
Concile

Les quelques Responsables de l'État se montrèrent extraordinairement gênés – maladroits même – car s'ils avaient su juger jadis, ils en avaient perdu l'habitude.

Tout autour de la table de la terrasse, au-dessus de la Terre s'estompant à l'infini, en un dégradé violet, ils jugèrent Dreamer Wallace pour la « mort » de l'autre. Un homme prenait la parole plus souvent que ses pairs. Il s'appelait Andred et un certain Elias proposa de le nommer en lieu et place de l'autre. Personne – sinon Andred lui-même – n'y vit d'inconvénient, dans la mesure où nul ne souhaitait habiter le Chalet de l'État et assumer la charge pénible de l'entretien perpétuel de ses plantes.

Tranquille, Dreamer Wallace restait assis à côté de la grande table, sur une chaise en osier, qui grinçait sous son poids excessif; il ne comprit rien à ce qui se disait. Il sembla un instant rêver, puisque la couleur de ses yeux varia. Andred proposa qu'on fasse mander la Console de Dreamer Wallace, mais il fut interrompu par un bruit lourd et soudain. Dreamer Wallace était passé à travers la chaise éventrée. On le releva avec politesse.

Les Responsables mangèrent ensuite en réunion, le temps de récupérer la Console du condamné; on n'osa pas inviter Dreamer Wallace au repas. Il demeura enfermé sans gardien dans la chambre la plus proche. Seul, il pensait à sa petite propriété. Il retrouva en souvenir le gazon, la douceur des journées, le cabanon, le silo, le hangar et la perfection de l'ensemble, sans la regretter.

Au dessert, l'un des responsables revint exténué, avec la Console personnelle de Dreamer. Tout le monde se leva en se raclant la gorge de concert, comme des violons qui s'accordent avant la sonate. Andred se fraya un lent chemin derrière les rhododendrons et rouvrit la porte du Placard.

Dreamer Wallace se montra particulièrement coopératif. Gros et placide, l'air idiot, sans un poil, il émanait de lui quelque chose de bestial et de saint. Parvenu devant le néant, il se retourna tel un bœuf aux portes de l'abattoir.

Un responsable écœuré pria l'assistance qu'on en finisse.

Andred acquiesça, posa la main sur l'épaule de Dreamer Wallace. « Il faut y aller », puis il plaça côte à côte devant lui sa Console et celle de l'ancien responsable. Tous fermèrent les yeux, sur la terrasse qui dominait le monde, et Andred poussa Dreamer par la porte du Placard, d'un geste très sec et très courtois.

Quand ils ouvrirent les yeux, rien n'avait changé.

Andred, responsable du Chalet de l'État depuis toujours, refermait la porte du Placard, le visage serein. Ils se tenaient les uns à côté des autres sur la terrasse, devant ces myriades de paisibles propriétés individuelles, et burent un verre à la santé de l'Éternité. Venus là sans raison, pour le plaisir de revoir de bons amis, ils eurent envie de manger sans avoir faim. Après s'être échangé quelques politesses, ils s'assirent. Sur la table s'étalaient des légumes frais, des fruits, des crèmes douces-amères et des beurres végétaux, de l'eau cristalline et des graines croquantes.

Après avoir terminé le repas, Andred déclara pourtant qu'il se sentait sale : il aurait volontiers pris une douche.

*
* *

Quant à Dreamer Wallace, sur le point de se réveiller, il crut entendre une voix qui lui disait : « Tu es tout nu, tu n'es plus. »

Mais il n'avait plus d'yeux, alors il ne les ouvrit pas.

DAVID HALE BROWSER

1
Le Serpent

Dans la structure nouée des étoiles, une étoile bouge encore.

Il fait noir et il n'y a personne pour le voir.

Un incroyable vaisseau se meut et produit dans l'ombre une lumière vacillante. Il a la forme d'un serpent, constitué de grands anneaux charbonneux articulés et sinuant dans l'espace lisse et profond à la fois. Peut-être a-t-il été jadis un dragon de guerre, mais il n'y a plus de combat depuis longtemps et on oublie même qu'il y en eut naguère. Le bâtiment n'a pas de but. On lui a retiré ses armes, ses griffes, ses canons ; ne reste que son long corps d'un alliage rare, soutenu par d'étranges réacteurs en couronnes qui permettent sa rapide et régulière progression aux limites du cosmos. Tellement régulière qu'elle semble inexistante.

En guise de tête, un globe rendu légèrement ovale à

la proue, composé de centaines de vitres carrées comme autant d'yeux vides. Puis, compartiment après compartiment, en silence, une sorte de peau métallique légèrement écaillée fend le vide interstellaire et abandonne dans son sillage une gerbe luminescente à mesure du frottement de la carapace dans l'espace. Comme l'engin serpente, l'énergie lâchée sous forme d'écume électrique par un anneau se trouve récupérée à la volée par le suivant. À l'intérieur, l'énergie vibrionnante remonte vers la tête, avant de se diffuser de nouveau dans tout le corps du vaisseau, à travers un système nerveux de câbles et d'aiguillages. La dépense, à défaut d'être nulle, est très faible.

Voilà bien longtemps que le temps n'exerce plus qu'une emprise infime sur cette nef reptile et longiligne.

Guidé par le bourdonnement ténu du globe qui lui sert de crâne, il sillonne aux confins de l'expansion de la matière, naviguant dans l'énergie primordiale grâce à son extraordinaire carcasse scintillante, comme une ficelle dont la vibration maîtrisée nourrirait le mouvement quasi infini.

Entre les anneaux noirs, on devine des sas fluorescents, élastiques, semblables à ceux des bus accordéons. Ils se contractent et se relâchent, au rythme d'une respiration de géant.

Où va le vaisseau ?

Toujours à la lisière de l'univers, on dirait qu'il le poursuit. Aux limites de l'expansion du cosmos, le temps est comme un océan qui se perd dans un delta marécageux et s'embourbe dans les terres de l'éternel, une mélasse de plus en plus épaisse, qui ralentit puis arrête la progression de tout ce qui existe. Le navire hésitait en ce lieu, dans les sables mouvants où l'ici et maintenant s'enfonce dans l'indistinct.

Les derniers mètres d'avenir clapotaient piteusement juste devant le vaisseau et les flots du passé reprenaient leur cours à l'arrière ; c'était l'extrême limite de l'espace et du temps, les « franges » de la matière. Le mouvement serpentin de la nef l'aidait à ne pas s'échouer tout à fait en cet endroit, en cet instant, à quelques mètres de l'éternité.

À l'intérieur, un cosmonaute en mission, si proche du but que le monde était pratiquement terminé pour lui. Il attendait.

Lorsque les hommes eurent inventé tout ce qu'ils purent jamais imaginer, lorsqu'on crut que tout était fait et lorsqu'on en eut assez de penser que tout l'était, lorsqu'on devint las d'être blasé, lorsqu'on pensa que cette situation pourrait désormais durer un temps indéterminé – on considéra qu'au fondement des particules les plus fondamentales il y aurait des particules plus petites et qu'elles seraient identiques aux plus grandes ; on s'accorda sur l'idée qu'une fois la société parfaitement juste, elle n'en serait pas moins injuste ; on fut persuadé que chacun aurait à jamais son avis et que d'autres en auraient des différents ; on pensa que les plus belles œuvres d'art rejoindraient celles qui existaient déjà au panthéon universel et qu'elles ne seraient jamais qu'une autre manière de dire la même chose, d'un commun accord on parvint à la conclusion que tout était désormais égal.

Le monde avait été riche, fertile en images, en faits et en émotions, mais le monde avait été épuisé tout entier comme le filon d'une mine à présent désaffectée.

On décida donc d'envoyer un peu partout aux limites de l'univers connu des borneurs qui chercheraient si d'aventure on ne pourrait pas fermer cet univers afin d'en ouvrir un autre.

Le Serpent fut le premier et le seul à avoir jamais frôlé son objectif. Il avait depuis lors, dans la pauvreté radicale des limbes, perdu tout contact avec la Terre et les hommes. Il errait sur place.

À dire vrai, le commandant, qui servait aussi d'officier scientifique, de technicien, de simple soldat et de passager, n'avait aucune idée de ce qu'il lui restait à faire. Il ne ressentait plus le désir de revenir en arrière – et par là même de replonger dans le passé –, mais il n'apercevait devant lui d'autre avenir, à quelque distance de son navire, qu'un petit trou, le chas d'une aiguille dans lequel il ne parvenait pas à glisser le dernier fil de l'Histoire.

2
David

Il s'appelait David Hale Browser, il commandait le Serpent et fumait une cigarette – son seul vice – dans le Cocon, le poste de commandement qui servait de cerveau à son vaisseau.

David Hale Browser avait toujours été un homme de bien.

Ses parents ? De modestes employés dans l'arrière-pays de la Convention d'Australie. Il y a longtemps. Son père, très savant, avait rêvé toute sa vie d'être un pilote, il n'avait jamais réussi. Il n'avait même pas osé essayer, ce qui l'avait rendu passablement aigri. On savait peu de chose sur l'enfance de David, et il en savait à peine plus. La mère de David, qui travaillait les terres appauvries, se redressait et regardait le soleil une fois par jour. Elle croyait à la religion. Quand tout s'arrêterait, elle ferait confiance au ciel. Le père de David s'en moquait quand il avait bu, avant de préciser, quand il avait décuvé, que son épouse jouait son rôle de figurante dans la pièce mal écrite par les dieux de jadis, et que c'était déjà ça.

David devint pilote et s'abstint de croire aux dieux.

D'une blondeur solaire, fin et droit, le visage d'une douce dureté, David plaisait sans chercher à charmer. Il ne s'était pas marié, parce qu'une femme de pilote jure fidélité à une place toujours vide dans son lit ; et, ne se mariant pas, il avait renoncé à aimer. Il jouait aux cartes et buvait tel un bon camarade, sûr en amitié. De tempérament égal, il savait surprendre avec assez de parcimonie pour ne pas être prévisible. Un homme qu'on finissait par confondre avec sa discrétion, sans jamais pouvoir l'oublier.

Et c'est à ce chevalier d'un autre âge qu'il fut donné d'atteindre la fin du monde.

3

Apprenti

David Hale Browser apprit à piloter dans le désert d'Australie. La base cuisait sous les rayons du soleil et sur les braises du sable rouge.

Le jour qui suivit l'arrivée des soldats, les instructeurs demeurèrent muets. Chaque apprenti pilote reçut un animal à sa disposition, choisi dans les couloirs de la ménagerie en souterrain. La distribution se fit au hasard ; il y avait là des ours, des loups, des canidés, des oiseaux, des poissons, quelques reptiles.

David hérita d'un serpent à sonnette. Il l'observa et le nourrit la première semaine, puis il le sortit de sa cage de verre et le porta autour du cou à l'occasion des premières manœuvres du contingent.

Évidemment, l'opération qui consistait à alimenter et soigner en toute occasion son animal se révéla être plus difficile pour les aspirants qui avaient reçu en guise de totem un requin ou un dauphin que pour ceux qui avaient récolté un scorpion. Ils passaient l'essentiel de leur temps de loisir à se préoccuper du sort de leur compagnon animal, dans le grand aquarium ou dans les box de la base, certains qu'ils étaient du lien aux yeux des instructeurs entre la bonne santé de la bête et la compétence de chaque apprenti pilote. Mais le soldat au scorpion fut trouvé mort au troisième jour, victime de son protégé dans son propre lit. Celui qui s'occupait du delphiné ne buvait pas, il travaillait pour les autres et achetait péniblement des rations supplémentaires d'eau à la cantine, afin de maintenir son compagnon vivant dans un petit bassin de la grande cour, au pied du dortoir. Le jeune homme mourut avant le mammifère marin. Au bout d'un mois à peine, le centre d'entraînement fut transféré en pleine mer, près de la Barrière de corail. Le militaire au chameau tenta de surnager en permanence près du radeau avec sa bête sur le dos, qui finit par le couler. La jeune femme au poulpe sembla plus à ses aises. Mais l'affaire prit un tour ardu pour elle lorsqu'il fallut partir pour les hautes montagnes de Papouasie, aux sources du fleuve Sépik.

C'est au beau milieu de la jungle des Highlands que David se livra à une étrange opération qui attira l'attention des instructeurs. Au premier jour des épreuves, comprenant le manège imbécile des officiers, il trancha sans état d'âme la tête de son serpent. Nu, il enroula le corps de l'animal autour de son cou, puis déclara qu'il *serait* désormais le reptile. Les autres aspirants jugèrent qu'il trichait et il se trouva exclu du jeu sous la pression collective.

Un an après, au terme de la formation de nouveaux pilotes, il ne restait plus un seul candidat vivant.

Entre-temps, David était devenu un modeste assistant dans une petite boutique qui vendait des plantes artificielles. Acceptant avec constance son sort médiocre, de huit heures du matin à six heures du soir, il collait de fines tranches de plastique transparent autour des tiges et des feuilles, afin de reconstituer fleurs et bourgeons. Les grands propriétaires avaient besoin de boutures plastifiées, depuis que l'agriculture avait été remplacée par la chimie de laboratoire et que la fonction des planteurs et des éleveurs était devenue d'être des artistes paysagistes. David mettait la dernière touche à un énième cyclamen marbré, lorsqu'un agent de liaison des armées lui tapa doucement sur l'épaule.

David Hale Browser était convoqué à la Grande Barrière.

Pour les concepteurs de la navigation des immenses Dragons démilitarisés, le problème était devenu le suivant : les navires de jadis construits comme des fusées bourgeonnantes de sphères, de réacteurs, de roues, étaient des monstres lourds, massifs et fatigués, incapables de rallier les bords les plus raffinés de l'univers connu. Ils s'abîmaient sur des récifs de matière primordiale, ils explosaient parfois, se dissolvaient le plus souvent, pris de cours par quelque marée montante de découplage entre matière et rayonnement.

Il fallut concevoir des engins plus maniables et mieux adaptés à une intelligence individuelle, capables de se faufiler dans l'environnement chaotique de l'horizon du monde. C'est pourquoi les concepteurs avaient proposé de lier d'emblée chaque aspirant pilote à un animal, de manière à croiser et à optimiser les différentes stratégies possibles de survie coévolutive aux Confins. David Hale Browser avait refusé de faire équipe avec un animal, mais il était le seul de sa promotion à avoir survécu.

Il méritait donc sa place.

Aux différents entraînements du Centre, cinq ans durant,

il se montra de loin le plus régulier. David se sortait de toutes les situations possibles et surtout il savait reconnaître instantanément une situation impossible : il laissait tomber. Cette capacité à faire l'équilibriste sur la ligne entre le possible et l'impossible fit bientôt de lui le premier sur la liste des borneurs à venir. Sur les simulations informatiques, il se faufilait entre ce qu'il y avait de plus périlleux, mais de jouable, et ce qui n'était même pas envisageable.

Tous stationnaient désormais sur un satellite artificiel de Pluton. La vie elle-même y paraissait grise. De huit heures du matin à six heures du soir, les hommes étaient coincés dans quelque caisson sans autre ouverture qu'une meurtrière qui laissait filer un mince rectangle d'informations lumineuses, contraignant les pilotes à choisir de plus en plus vite entre : devant, derrière, gauche, droite, en bas ou en haut.

Puis on recommençait.

C'était simple, mais dans la mesure où les données de chaque seconde s'ajoutaient à celles de la précédente, l'affaire s'avérait de plus en plus complexe à négocier. Survenait un moment où le borneur avait l'impression – assailli de possibilités à concilier avec, à côté de lui, son animal interconnecté – qu'une solution était *peut-être* encore possible, mais que les pilotes humain et animal l'avaient perdue de vue.

Ce qui était remarquable avec David, c'est qu'il n'en arrivait jamais là. Seul, sans animal raccordé à lui par des fils en cuivre débordant des cavités orbitales, de la bouche et des conduits auditifs, le jeune homme continuait à classer les informations extérieures qui lui parvenaient, sans sourciller. Il en effectuait à tout moment la somme et puis il s'échappait, toujours concentré sur le filet de lumière rougeâtre de la meurtrière en face de lui.

Il « bréchait » ainsi tant qu'il était possible de le faire. Si, pour le piéger, les concepteurs demandaient auprès du central fournisseur de données de sauter imperceptiblement une étape dans les formules enchaînées du flux des données et de lui charger soudain des coordonnées sans aucun rapport avec les précédentes, alors David hochait la tête, il ôtait son casque et rendait son rapport. « Là, c'est impossible. »

Il éteignait les lumières, sortait du caisson et s'étirait avant d'aller fumer une cigarette.

4

L'Expansion est finie

Un samedi, David fut convoqué tout en haut de la tour. Il s'y rendit en uniforme rouge ainsi que le règlement l'exigeait.

La première mission des Confins était sur le point d'être lancée. Le vieux commandant vérolé lui demanda, fébrile et les doigts des mains croisés devant la bouche : « Savez-vous quelle est la situation de notre monde aujourd'hui ? »

David répondit qu'il n'était pas certain de le savoir.

« Bien. Voyez-vous, il est évident que notre monde rétrécit. Pour être simple, il s'épuise. Exactement comme des réserves de pétrole. Nous ne savons pas exactement dans quelles proportions, évidemment. Tout : matière, énergie, événements et sentiments sont en baisse. » Il montra d'une main lasse un graphique déjà daté, affiché sur un écran de guingois, dont toutes les courbes de couleur s'effondraient comme les indices boursiers d'un pays en crise. « La confiance est brisée. Les gens sentent la fin. Le taux de natalité s'est effondré partout depuis des lustres. L'ère de l'Expansion est réduite à néant. L'expansion de l'univers, celle du commerce, cela va de pair. Des colonies sont abandonnées, déjà. Tout le monde est étrangement fatigué. Depuis combien de temps nous n'avons pas vu une théorie scientifique d'envergure ? Pensez-y... Une grande invention ? Tout a été inventé. Et un bon bouquin ? Un grand tableau ? Un opéra ? N'en parlons pas. On joue depuis des siècles ce que les siècles précédents ont déjà joué. On chante les vieux airs, on récite les poésies classiques, on copie et on colle les images d'antan. Les plus belles femmes, les plus beaux hommes... Morts depuis un bail. À mesure que nous avons conquis l'espace galactique, le monde est devenu de plus en plus petit. C'est une réalité cosmologique : le pic d'intensité maximal est passé, nous entrons en dépression à mesure que le cosmos s'engage dans une phase de rétractation. Si nous n'avons pas la force, aujourd'hui, de réagir, nous retournerons au claquement de doigt initial », il essaya lui-même de claquer des doigts, mais n'y parvint pas, « un big-bang inversé, et puis rien du tout.

« David, nous avons besoin que vous trouviez la faille.

« La *brèche.* »

Parlant tout bas, il se rapprocha de plus en plus du visage de David et la souffrance déridait sa face qu'on pouvait croire, de loin, fossilisée.

« Peut-être que vous êtes le dernier de nos génies, quelqu'un de radicalement nouveau... Nous espérons, et c'est notre espoir, notre dernier souffle... Pourvu que vous soyez le premier génie d'un genre nouveau... Trouvez la brèche du monde et emmenez-nous ailleurs. Dans un autre monde, un monde neuf. Je vous en supplie. Ce monde-ci est en train de mourir. L'univers s'écroule sur lui-même. Vous comprenez ? Si vous êtes le *dernier* génie, alors nous sommes perdus. Vous êtes l'ultime pierre dans le mur du temps, celle qui manquait... Mais ce n'est pas joué. Peut-être... Peut-être êtes-vous l'avant-dernier – destiné à ouvrir la brèche nouvelle ! Nous respirerons enfin un air nouveau ! Parce que nous étouffons, oh, nous étouffons ! Vous ne sentez pas l'air qui se raréfie ? » Il se leva et voulut remonter le niveau de la ventilation – mais sur cette base de Pluton, tout était rationné. « David, vous êtes en dehors de tout cela, n'est-ce pas ? Déjà là-bas, pas vrai ? De l'autre côté... Vous n'êtes pas comme nous. S'il vous plaît, ne nous regardez pas mourir... Emmenez-nous... »

David Hale Browser n'était guère porté sur la poésie ou la philosophie. Il accepta, sans comprendre, mais vaguement dégoûté par les accents lyriques de la complainte de son supérieur.

Dès ce moment, il eut pourtant l'étrange impression de

comprendre le sentiment du commandant : la hiérarchie était rare et faible. La mollesse avait gagné les décideurs. Les hommes les plus forts étaient devenus médiocres.

On lui confia le dernier modèle de Dragon en date. Il démantela cette fusée, renvoya les ouvriers par un vaisseau de passage et passa un an à bâtir sans autre aide que celle de robots le globe de verre qui servirait de tête à l'engin.

5
Seul

Il prit quelque temps pour maîtriser le Serpent.

Les mouvements en étaient infiniment simples dans un milieu infiniment complexe. Quand il eut fait le rapport, David Hale Browser mit les voiles.

Il s'assit dans son petit fauteuil rembourré en plumes devant les écrans de données qui miroitaient comme les yeux d'une abeille colossale. Il engrangea les informations qui lui parvenaient de l'espace noir taché par les étoiles. Quantité des gaz, niveaux d'énergie, lignes d'univers – tout se nouait, dénouait, renouait. À chaque étape de la réflexion de David, le Serpent connecté avec son réseau neuronal restituait les mouvements de cette corde de *datas* et il bréchait chaque fois.

En l'espace de six mois, David Hale Browser atteignit une vieille planète colonisée par la Terre lors de la grande Expansion hors du système solaire.

Il partit se raser dans le conduit d'habitation silencieux, à l'arrière du Cocon. La majeure partie du vaisseau, vide, servait de conducteur à l'énergie de l'ensemble du véhicule. Près de la tête, David avait tout de même aménagé un anneau sur une cinquantaine de mètres carrés : sa chambre. Aucune décoration.

Il possédait un appareil gramophone à lire la musique cachant sous un double fond une mémoire sous forme de nanocâbles entremêlés, dans à peine trois millimètres cubes, qui stockait la totalité des disques de son enfance et toutes les émissions radio du dernier siècle. Il n'avait emporté que des livres qu'il avait déjà lus, en plusieurs exemplaires sur des rouleaux de papier recyclé, qu'il avait classés suivant dix systèmes différents au moins sur les étagères de faux bois clair devant son lit : par ordre alphabétique, chronologique, par ordre de préférence subjective ou de provenance géographique…

David s'était peu à peu aménagé un bureau sur tréteaux contenant dans des caisses de déménagement des cartes de tout l'univers et des photos de sa mère, de son père en costume bleu. Il avait aussi conservé dans le tiroir d'une commode en formica authentique, sous ses pulls, ses combinaisons intégrales et ses chaussures d'intérieur, l'unique lettre d'amour qu'il ait jamais reçue de la part d'une personne aimée.

Il s'obligeait à un brin de conversation chaque jour, dévisageant l'espace sombre à travers les hublots, discutant avec d'anciens programmes d'apprentissage des langues. Il écoutait les voix nasillardes, faisait l'effort de leur répondre.

La jeune fille de la lettre avait vécu, sans doute. Elle avait l'âge de s'être mariée et d'être morte. La Relativité voulait qu'il vieillisse moins vite qu'elle, à mesure qu'il approchait de la vitesse de croisière de la lumière.

Il cligna des yeux.

Depuis des années il se sentait coupable parce qu'il avait oublié le prénom de la jeune fille et que la lettre n'était pas signée. Est-ce qu'elle s'était souvenue de lui par hasard, une fois par an ? Il n'avait pas voulu d'elle parce qu'il considérait alors qu'il avait un destin. En quoi le destin de David Hale Browser – seul dans un vaisseau, dernier des pilotes, dernier des génies, parti brécher l'univers – valait-il mieux que ce qu'elle avait sans doute mené à bien de son côté : son travail, ses amours, ses enfants... ?

Il avait aimé quelques semaines cette jeune fille et n'avait pas compris qu'elle l'appréciait, sinon plus. Il détailla la lettre manuscrite, bordée de fleurs dessinées à la main, toute fraîche et fanée à la fois. À mesure que le temps passait, la lettre lui semblait de plus en plus petite et de plus en plus seule dans l'univers alentour, qui l'ensevelissait.

David Hale Browser, pour la première fois, pleura et maudit le temps, maudit l'espace. Tout ce qui enfouissait inexorablement la lettre et le visage de la jeune fille loin de lui, ici et maintenant. Il en voulut à la structure même de l'univers.

David Hale Browser reposa la lettre sur la commode.

Il partit effectuer sa ronde, frais rasé, le visage déjà vieillissant, il accumula les données dans la tête du Serpent afin de se placer en orbite de la colonie terrienne la plus proche, d'y recueillir des informations, toujours des informations, sur les derniers borneurs à y avoir transité. Avant de repartir.

Il orienta le corps flottant du navire, à gauche, à droite, en haut, en bas, devant et derrière.

David oscilla encore un peu avec son vaisseau, jusqu'à obtenir une respiration régulière qui confinait à la stabilité, en orbite. Le Serpent dormait.

Il se glissa jusqu'à la navette de liaison à propulsion nucléaire classique, le casque réglementairement vissé, la ceinture attachée, en approche de l'atmosphère de la colonie.

6
Première station

Pour la première fois, David Hale Browser découvrit combien la vie était devenue triste.

Sur l'astroport l'attendaient de vieilles caisses et une délégation d'officiels en fourrure de pseudo-astrakhan dans le froid de l'atmosphère artificielle dégradée.

On apercevait à l'arrière-plan des friches industrielles et des immeubles sans toit. Le maire de la colonie serra la main de David Hale Browser. On le conduisit à l'hôtel dans une voiture qui calait tous les deux cents mètres. Le maire était un vieux bonhomme prognathe et qui baragouinait un langage sensiblement éloigné de celui qu'on pratiquait désormais sur la Terre. David apprit que la Terre n'avait plus envoyé d'ambassadeur depuis quarante-cinq ans. Il regarda par la fenêtre du véhicule fumant, marquée par l'éclat d'une lune qui zébrait le verre mal poli.

Tout était noir. Il n'y avait pas à proprement parler des villes, mais des grappes villageoises de maisons fermées, grises et marron clair. Quelques vieillards chenus le dévisagèrent à son arrivée à l'hôtel. Il demanda un plan de la planète : il n'y en avait pas.

Il ne vit ni enfants ni femmes, peut-être enfermées dans les cuisines. Mais il n'y eut pas de repas officiel. Dépité, il avala une soupe aux légumes en poudre, un brouet nauséabond, sans parvenir à reconnaître les ingrédients à partir desquels elle avait été cuisinée.

Il monta dans sa chambre, seul, au bout d'un escalier grinçant.

Du parquet, un torchis maladroit, des draps rêches et un oreiller jaunâtre bourré de paille sèche. Il s'assit et ôta ses bottes crottées. Le regard dans le vide, il chercha une table, une étagère ou quelque meuble du genre. Il se demanda comment la pièce était chauffée, repéra l'habituel radiateur nucléaire qui avait cours sur Terre et fut rassuré. La chaleur lui parvenait par vagues.

Étrange. Un doute l'effleura au moment de se coucher. David s'empara d'un tournevis dans son sac à dos et s'attaqua aux plaques en zinc du radiateur. À l'intérieur, il ne trouva qu'un trou, une sorte de cheminée et un conduit qui menait à l'étage inférieur, où un feu nourri à grand-peine de bois humide devait être entretenu. Du feu… Que c'était primitif. David Hale Browser s'accouda à la fenêtre, il aperçut quelques lumières esseulées dans l'obscurité qui les dévorait peu à peu.

Il s'allongea, dans l'espoir de dormir. Il rêvait de moins en moins et dut se forcer. Il pensait, pour s'occuper, à une moto franchissant comme un cheval les obstacles d'une course sauvage, les uns après les autres. La jeune fille de son adolescence se pressait contre son dos. Elle ne le quitterait pas et il n'accélérerait, ne décélérerait jamais. Elle lui parla, il n'entendit pas le moindre mot à cause du bruit du moteur. Alors il négocia un tournant et elle l'embrassa. Oui, elle le prenait entre ses bras blancs et, dans la forêt verdoyante où il avait posé le pied, David se mariait avec elle.

Ils avaient eu des enfants. Elle était morte. Lui aussi.

Déjà réveillé.

Trop vite à la fin : il ne pouvait plus rêver. Il épuisait en deux claquements de doigts ses tout derniers fantasmes. Comment pourrait-il espérer dormir, bientôt ?

Vaguement dégoûté par le tissu poisseux sur ses pieds et ses jambes, la paille dans le cou. Un mur blanc cassé, une vague chaleur dans le froid. Le feu. Par la fenêtre, le ciel noir. Il regretta le Serpent.

À cet instant précis, des hommes petits et épais débarquèrent dans la chambre étroite. Ils portaient des fourches, parlaient une langue qu'on ne comprenait plus du tout.

Il comprit qu'il avait ordre de les suivre. Au pied de l'hôtel miteux, le maire était mort.

Les hommes se disputaient. On le balança dans une

charrette aux roues à peine arrondies. Une partie des habitants s'éveilla. Certains se battirent à coups de poing. Il trouva à sa taille la légère arme de poing qu'il portait toujours, par sécurité. Il se débattit, puis tira dans le tas. Les hommes reculèrent dans l'obscurité : ils ne connaissaient plus le pouvoir des armes à feu. David les menaça moins d'une minute, puis se dirigea en pyjama vers la voiture du maire. Il eut l'impression fugitive qu'il s'agissait du dernier véhicule à pouvoir encore rouler sur cette colonie, sans pétrole ni huile de colza, sans carburant d'aucune sorte.

Il démarra, la foule grondait et elle concentra son ire maladive contre lui.

Il se perdit dans la nuit. Les chemins n'étaient qu'à demi tracés. La voiture tomba en panne. David reconnut une forêt et des friches crépusculaires. Gêné par un pénible point au côté, il courut vers les trois phares qui indiquaient la présence de sa navette de liaison. Des hommes hurlèrent, depuis les clairières voisines. David en tua beaucoup, afin d'accéder au sas d'entrée. Lorsqu'il ralluma les réacteurs, il aperçut par le hublot les hommes marron et gris qui s'accrochaient aux trains d'atterrissage ; ils tombèrent tous en pluie, les uns après les autres, à mesure que l'engin s'élevait dans l'atmosphère et s'éloignait de la colonie à la dérive.

L'humanité régressait. David Hale Browser soigna ses quelques plaies et s'acquitta de ses rituels humains : il mangea, se lava et fit l'effort de rêver de son amour perdu.

Il ne pensa plus aux derniers hommes qu'il avait croisés.

7
Deuxième station

David Hale Browser mena désormais une vie réglée d'une main ferme dans le Serpent.

De la huitième heure du premier décan à la neuvième du second, il restait dans son fauteuil à recevoir et assembler les informations qui lui parvenaient sur l'environnement extérieur, en traçant la meilleure ligne possible d'énergie au creux de la matière : il bréchait.

Serpentant ainsi de jour en jour, il remonta étoiles, galaxie, amas et super-amas. Il atteignit bientôt la première Porte posée lors de l'Expansion. On entendait par « Porte » un point de repli de l'espace, qui autorisait de court-circuiter l'espace intermédiaire entre deux locations très éloignées. Parvenu sur le seuil de la première Porte, David Hale Browser descendit se raser. Il salua devant la glace et rédigea comme il convenait de le faire un rapport liminaire à son commandant. Il ne l'envoya pas, car les transmissions n'étaient plus assurées. Après avoir écouté à faible volume quelques mesures de la musique des siècles passés, il s'installa dans son fauteuil rembourré.

Il visa dans l'embrasure, brécha en plein dedans.

Après avoir déconnecté les fils de cuivre qu'il introduisait dans sa bouche, ses oreilles et ses yeux, il éteignit les divers clignotants du Cocon. Puis il partit loin dans le corps du Serpent fumer une cigarette, ce qui n'était pas autorisé par le règlement. Après avoir noyé le mégot dans un verre d'eau, sous le robinet de secours de l'arceau d'un sas, David Hale Browser mit le cap vers la dernière colonie signalée sur les cartes d'état-major.

À la dixième heure du second décan, à laquelle il aimait penser comme au Minuit de naguère, sur la Terre, il s'allongea tout habillé sur son lit et relut la lettre de son amour de jeunesse.

Comment avait-il pu oublier son nom ?

Il la lut comme s'il la découvrait, à l'âge de quinze ans : « David, j'ai cru que tu m'entendrais et que je pourrais te sauver. Mais tu as choisi, et tu ne m'aimes pas. Je t'aimerai toujours, mais que crois-tu que nous penserons de tout ça quand nous serons adultes ? Je ne sais vraiment pas. Laisse-moi te dire que tu es quand même un garçon bien, et que je ne suis pas la seule à le penser. Mais tu t'obstines et je ne te comprends pas. Je viendrai à la sortie du cours de maths. Est-ce que tu accepteras de me parler ? Je crois que ce sera la dernière fois. Tu crois que je suis une fille pleine d'expérience, ce n'est pas vrai. Tu m'as beaucoup apporté, tu m'as fait réfléchir. Je ne veux pas m'embellir à tes yeux. Je voudrais juste un avenir avec toi... »

Ce n'était pas signé.

Il répéta en boucle, hypnotisé par le bruit discret de la machinerie : « un avenir avec toi », « un avenir avec toi », « un avenir avec toi »...

Après s'être relevé, il dévisagea l'univers noir sans yeux, silencieux, par le hublot rond de sa chambre, bordé de cuivre et boulonné. Il repensa à cette soirée d'anniversaire et à l'invitation qui lui avait été faite de danser. Par les failles ouvertes dans l'espace et dans le temps, il semblait qu'à présent tout le passé s'écoulait.

Alarmé par un avertisseur sonore, il découvrit sur les cadrans du Cocon la dernière colonie humaine, en frottant sa peau asséchée par la mauvaise qualité de sa crème de rasage en poudre. Il vérifia l'arme chargée à sa taille et plaça le Serpent sur orbite, avant d'enjamber le portail de la navette de liaison.

Lorsqu'il débarqua sur la dernière planète indiquée sur ses cartes, il ne trouva aucune délégation pour venir à sa rencontre. Des ruines. Derrière les pierres, on devinait dans la nuit la présence de groupes d'animaux. David marcha sans presser le pas le long de bâtiments décrépis, éventrés, découvrant la carcasse de quelques véhicules et de machines industrielles à l'arrêt, comme des squelettes pétrifiés. Il monta sur la colline la plus proche et scruta l'horizon. Au creux de la campagne verdie par une terraformation réussie, il découvrit des troupeaux d'hommes, dispersés dans la plaine, à la lisière du maquis, encore debout mais déjà courbés. Ils allaient par hordes, les bras pendants. Sous le ciel rouge, les hommes avaient abandonné vêtements, habitats et langage. David Hale Browser pensa qu'il était à la fois leur avenir et leur passé.

Il repartit par la navette de liaison.

De retour dans le conduit d'habitation du Serpent, il se servit à boire un jus de fruits congelé depuis des années. Il n'avait pas faim. David erra d'anneau en anneau et devina son reflet blanchi sur l'accordéon translucide entre les compartiments du Serpent, en surimpression de la planète vert et bleu dont il s'éloignait.

Blond, les cheveux trop fins.

Il oublia les hommes.

8

Troisième station

David Hale Browser pénétra dans des zones inconnues.

Il passa la deuxième Porte et la troisième, comme les cataractes du Nil.

Las de se les laver, il se rasa les cheveux à la lame et au blaireau. Il contemplait son visage vieilli dans le hublot, en cherchant autre chose que de l'obscurité entre les étoiles. Et puis il fut à court de cigarettes.

Il ne se souvenait plus exactement, mais il lui semblait qu'on trouvait toujours des choses à faire sur Terre. Adolescent, il pensait à la fille, accomplissant les moindres activités quotidiennes pour elle comme si son regard ne le quittait jamais : « Je te vois, David. » Revenant du lycée vers la petite butte, au-dessus des docks de l'aéroport, le long du chemin de fer. Sur les hauts panneaux près du château d'eau, des publicités déchirées, sous le pont métallique du bruit, des vendeurs de voiture d'occasion, de la vie dans les bosquets, des poubelles pleines, des êtres humains. Après avoir couru en travers de la côte, il avait la plante des pieds en feu, il se sentait libre et courageux, il faisait le tour du square à la pelouse pelée, qui surplombait la nappe de pollution du quartier, il était heureux. Parce qu'il pensait à son destin, qui avait les yeux de cette fille. Peut-être qu'elle était là, peut-être qu'elle pensait à lui.

Peut-être le regardait-elle encore, dans le vide intersidéral, lui, capitaine sans équipage et les cheveux rasés.

L'alarme retentit, un carillon aigrelet. Une dernière planète inhabitée apparut sur ses relevés en temps réel, inconnue des cartes d'état-major.

Disposant le Serpent en orbite, David répéta les gestes qui avaient fini par épuiser sa patience : enfiler la combinaison orange, les gants argentés, refermer le casque ovale et vérifier la pression interne, les réserves d'oxygène sur son plastron, une sorte de tablier de ménagère, avant de passer le portail de la navette de liaison.

Après avoir remué en rythme ses doigts, sous l'aluminium des gants, afin de se maintenir souple et éveillé, il laissa filer le petit avion plat, en forme de triangle isocèle, comme une aile sous le vent, parmi les courants gazeux, bleuissants, de la planète sans nom.

David respira régulièrement derrière la visière de son casque, qui ressemblait à la tête d'une ampoule électrique. Un instant, il crut voir apparaître devant lui dans le reflet d'un panache de fumée le regard de la fille d'antan, et il se redressa sur les commandes.

À la surface, sous les nuages, le sol morne et plat semblait vert de pourriture spontanée, à peine orné par des fumerolles verticales de gaz violet. Repérant sur l'écran de contrôle de la navette, un tableau de bord qui ne comptait qu'une dizaine de cadrans, un fort signal d'appel, il sortit et accomplit sur lui-même un tour complet d'observation de la plaine verdâtre, unique lieu d'atterrissage possible sur cette planète, vaste océan gazeux serti d'une seule île en décomposition. Près de la navette, sous le coup de la chaleur de l'atterrissage, des cristaux mordorés s'étaient formés. Lorsque la fumée se dissipa un instant, il découvrit niché au creux du paysage pourrissant, les pieds enfoncés dans une mélasse de déjections organiques qui s'épuisaient en évaporation putride, l'origine du signal électrique : une cabane, une simple cabane de trappeur, avec des poutres rouillées en guise de rondins, semi-enterrée dans le sol flasque. David se souvint de la police montée canadienne et des ouvrages d'aventures sur le Grand Nord et la ruée vers l'or. Mais il imagina bientôt qu'une intelligence extraterrestre incongrue avait bâti ce ridicule mausolée, au point le plus éloigné de l'univers humain cartographié. C'était un abri de cinq mètres sur cinq, comprenant une porte et une fenêtre, un toit et une cheminée qui s'apparentait à un tuyau de chaudière. Le métal rongé par les gaz avait pris la couleur du bois de hêtre.

David essaya d'avancer vers l'arrière de la cabane, mais de puissants jets de vapeur brûlante mauve et or, alentour, l'en empêchèrent. Il fronça les sourcils, respira avec difficulté et marcha lentement vers la porte. Soudain la vision de l'immense planète ronde pathétiquement piquée d'une minuscule cabane forestière le foudroya. L'image même de la civilisation.

Menaçant de s'enfoncer dans l'humus gastrique de l'île,

David tourna la poignée de la maison et, à sa grande surprise, entra sans forcer.

À l'intérieur, il y avait une atmosphère respirable artificiellement entretenue par un générateur qui ressemblait à un vieux poêle. La vue gênée par la fumée saumâtre qui envahissait la cabane derrière lui, il se pencha sur une forme immobile, assise sur une chaise en plastique. Quelqu'un.

C'était un être humain, décédé. David lui prit des mains un cahier rouge et bleu. Le glissant dans une pochette de sa combinaison, il le plaça à l'abri des gaz apparemment nocifs qui s'engouffraient sans discontinuer dans le petit abri calfeutré.

David grimaça : il avait oublié de refermer la porte derrière lui.

Le temps de s'exécuter, la chaise en plastique avait fondu pour moitié, et le cadavre de l'homme s'était liquéfié par les pieds, s'écoulant sur le parquet comme une bouillie de nourrisson. Impuissant, reniflant et respirant fort, David se contenta de le regarder redevenir une soupe primordiale. Quand ce fut fini, tout dans la cabane avait atteint l'état de pourriture.

David referma derrière lui la porte du lieu.

Tandis qu'il remontait dans la navette, la cabane, rongée de l'intérieur, s'affaissait presque complètement dans le marécage de la planète. Et, le temps qu'il remonte à bord du Serpent, une dernière éruption gazeuse ravagea l'île.

Buvant un souvenir de café tiède dans sa chambre, David entreprit de nettoyer et de déchiffrer le petit carnet rouge et bleu, ou plutôt ce qu'il en restait. L'homme était un authentique héros. À la fin de l'Expansion, il avait entrepris seul de repousser le territoire de l'humanité au-delà des bornes connues. David Hale Browser ne se considérait plus lui-même comme un borneur. Le héros avait eu le courage d'attendre la flotte, qui ne viendrait jamais, et de croire jusqu'au bout que l'humanité viendrait le chercher. « Je sais que je ne suis qu'un maillon dans la grande chaîne, et si je suis pour l'instant le dernier, je sais de tout mon cœur que le suivant arrivera tôt ou tard. »

Après quoi, le carnet s'effritait et n'était plus que poussière.

David Hale Browser ouvrit le sas à ordures, dans le conduit d'habitation.

Il oublia l'homme.

9

À la Frange

Maintenant, il n'y avait plus d'escales.

Il se concentrait sur les vitres et sur les écrans. De la matière à perte de vue et, au-dedans, des lignes d'énergie. Les nouer tout le long de la coque du Serpent, moduler le corps du navire pour transmettre et récupérer cette énergie. Faire la brèche. Recalculer la somme des lignes d'énergie dans la matière, se situer dans toutes les directions pour les nouer, et recommencer. Comme une couturière qui se confond avec son fil, son aiguille et la routine des mailles :

tisser jusqu'à n'en plus pouvoir. Dans la brume de l'abrutissement, la nuque durcie par l'immobilité, David se levait de moins en moins. Ses jambes ne le portaient plus qu'à grand-peine. Il avait l'impression de n'avoir rien fait. Il avait l'impression d'avoir tout fait.

À gauche, la paroi immaculée de la salle de bains. Le néon aveuglant. Les yeux diminués par la tâche. Coulant du robinet en inox, l'eau recyclée par la centrale du troisième anneau. Elle avait ce goût de plastique, que tout ici avait pris avec les années. David lavait à la main son pantalon d'un bleu dur et son tee-shirt d'un orange éteint.

Accroupi sous la douche, dans le tub, vissé au centre de la salle de bains trop grande, il essayait sans succès de se masser les omoplates, inaccessibles, parce qu'il n'avait plus la souplesse pour les atteindre.

Après une heure, au deuxième décan, de toilette et de repos, il retrouva le poste de commandes en caleçon et découvrit, ébahi, la Frange.

Parce qu'il avait relâché un moment son attention, il avait échoué le vaisseau dans les limites boueuses de l'univers. Il comprit tout de suite qu'il n'en sortirait pas.

David Hale Browser s'assit dans son fauteuil rembourré de plumes et regarda son nombril au milieu d'un ventre naissant. Il se frotta le crâne, puis essaya de brécher sur place.

Il réessaya.

En vain.

Pour ne pas s'avouer vaincu, il fit de la répétition de ces essais désespérés une routine, une nouvelle règle de vie. Du premier décan au second, du second au premier, il nouait les datas et il cherchait la faille. Mais le Serpent était à la limite du temps, là où le grand océan s'épuisait en eau stagnante.

Impossible en cet endroit de déterminer une heure ou une journée.

David demeura à la Frange peut-être une minute, peut-être une centaine d'années : à peine un peu plus qu'un instant, à peine un peu moins qu'une éternité.

10
Remords et regrets à la fin des temps

Au terme de tout ce temps, David capitula et partit arpenter la machinerie du Serpent.

Les couloirs lui parurent les plus beaux des jardins, maintenant qu'ils ne servaient plus à rien. Le Serpent faisait une centaine de kilomètres de long et David s'y perdit avec plaisir. L'agencement des mêmes éléments produisait de multiples configurations. Les boulons, les vecteurs d'énergie en verre, les portes ovales en métal blanc, les conduits d'aération, et des tuyaux, des circuits, les postes de contrôle, leurs écrans, leurs voyants, leurs cadrans… Le Serpent bougeait sur place, les sas se comprimaient et se relâchaient en conséquence. David continua. Il fit bientôt noir dans les couloirs. De l'eau suintait de la centrale de recyclage. David tenait un registre dans lequel il avait soigneusement consigné vérifications, réparations, réaménagements.

Le sourire aux lèvres, David jugea qu'il accomplissait les mêmes tâches de comptable que son père à l'aéroport de l'arrière-pays, il y a bien longtemps de cela.

Les tuyaux étaient tordus, les circuits sautaient et les nœuds d'énergie se délaçaient. David quitta le Cocon pour s'installer plus loin vers la queue et entretenir l'ensemble de son vaisseau échoué dans les limbes.

Parce que le tuyau d'aération gouttait, le système anti-condensation s'emballa. Encore un nœud défait. David n'eut pas le temps, dans le noir, de retisser tous les fils de verre. La corde principale gorgée d'énergie se souleva lourdement, comme la trompe d'un éléphant. David empoigna la corde blessée et, avec la plus grande peine, il la raccorda à celle de l'anneau suivant. Les circuits d'énergie ne tiendraient plus longtemps. Le Serpent agonisait. David reçut alors en pleine poitrine la culpabilité d'avoir sacrifié cet animal, au premier jour de son entraînement.

Il pleura.

Une montagne de remords commença à pousser en lui, puis il se creusa dans son cœur un gouffre de regrets. Imaginant les vies à côté desquelles il était passé, il aperçut toutes les vies possibles et découvrit la sienne au beau milieu.

Caressant les cordes gémissantes du vaisseau, il réalisa qu'il devait à tout prix renvoyer loin d'ici le Serpent qu'il avait sacrifié à son destin, une fois parvenu au bout du monde. Une dernière fois, il enfila les gants d'argent, la combinaison orangée, vérifia les compteurs d'oxygène et passa par le sas pour rejoindre la navette…

Mais la navette s'était décrochée sous le choc répété de ses tentatives pour brécher à la Frange, et David bascula dans le vide. Très lentement, raccordé à un filin, il flotta aux abords du néant, tête en bas, tête en haut, comme une poupée à la surface d'une eau noire, le souffle coupé, découvrant du dehors le Serpent abîmé, entortillé dans les marais de matière et d'énergie…

Il dérivait, la tête éclairée par une diode derrière sa visière, les bras en croix, les jambes ne répondant plus, bouche ouverte, comme hypnotisé, aspiré par le vide.

11

La dernière brèche

Étourdi, il se retourna et quelque chose avait changé d'aspect à la Frange.

Au milieu du néant d'ébène, devant lui, s'ouvrait une brèche, une lézarde dans la coquille de noix du cosmos.

Nulle lumière n'en filtrait.

12

Fermer la porte

David Hale Browser, dans le silence le plus complet, flottant déséquilibré, avança prudemment sa main gantée.

Il toucha le marbre du rien.

Un mur. Le rien s'étendait de part en part à l'infini, à l'horizon, comme si le vide s'était condensé dans cette paroi noire, comme si – une fois l'expansion de l'univers arrêtée – la Frange s'était solidifiée. Respirant régulièrement, le menton baissé et la gorge nouée, David Hale Browser inspecta la mince faille visible dans le néant devenu compact aux limites de l'univers. Apparemment, le monde s'était refermé.

David Hale Browser pensa à la mission que lui avait confiée le commandant. Comment conduire ce qui restait de l'humanité par ce trou de souris ? L'avenir n'avait pas fière allure : une crevasse dans un trop-plein de vide, un mur de rien.

Et s'il faisait plutôt du passé un musée, après avoir cimenté le monde pour de bon ? Peut-être que la jeune fille l'attendait encore, à la sortie d'un ancien cours de mathématiques auquel il n'était jamais allé. À défaut de la retrouver, il pourrait éternellement lui manquer.

David Hale Browser n'arrivait pas à décider. Il ne trouvait plus la juste ligne entre le possible et l'impossible.

Il passa le bras à travers la faille et le trou prit une tout autre forme, rectangulaire et ramassée : David parvint à en extraire une grande caisse légère, une sorte de cercueil ou plus exactement de placard, qui flotta à son côté. De l'autre main, David tira une caisse plus petite, qui lui fit penser à une console de bois.

Flottant toujours près du grand mur, David ouvrit

la sorte de console comme le chapeau d'un magicien et découvrit des myriades de petites cordes rigoureusement nouées entre elles suivant un ordre qui rappelait au choix les plis et replis d'un cortex cérébral, les entrailles d'une chaudière ou une pelote de laine. Puis il inspecta l'intérieur du placard, dans lequel il ne trouva rien, ni fond ni tiroir.

Remuant les bras de manière désordonnée, David nagea ensuite vers le Serpent qui, comme repoussé par le mur, dérivait lentement vers l'arrière. À grand-peine, il marcha avec précaution dans le vaisseau désolé, jusqu'au conduit d'habitation encore pressurisé, dans un coin duquel il déposa le placard et la console, sans trop savoir pourquoi. Il hésita à écrire un mot à l'intention du commandant. Le vaisseau retournerait sur Terre, d'ici quelques années, à la façon d'un ballon dégonflé qui, après s'être élevé haut dans le ciel, retombe en zigzag sur le sol.

Parce que c'était son dernier regret, il se saisit d'un tournevis et grava sur le côté droit du placard la seule question qui vaille : « Quel était son nom ? » Le nom de la fille, rien de plus.

Le navire qui refluait avec la marée montante de l'Éternité n'avait plus besoin de pilote. David avait sauvé son Serpent ; il ressortit et le vit qui voguait, de vagues gerbes d'énergie scintillant le long de son flanc charbonneux, comme avant. Le navire n'allait plus de l'avant, il reprenait un chemin connu et déjà arpenté. Il était, comme toutes les étoiles, une image à distance du passé.

David Hale Browser lui tourna le dos afin de s'absorber

dans la contemplation de la dernière brèche, qui se rétractait et dont les dimensions avaient considérablement réduit. D'une centaine de mètres de haut, la faille dessinait, ondulante, une silhouette imprécise qu'il ne reconnut pas tout de suite.

Il sourit.

C'était la découpe d'une fille de quinze ans ; il se revit dans les couloirs du lycée, timide et maladroit, au moment de la laisser filer. David tendit les deux bras, pensa à la mission une dernière fois, l'oublia. Sous ses yeux, une ombre creuse, mouvante, de trente mètres de haut, qui recoiffait ses cheveux. Elle marchait. À mesure que David s'en rapprochait, inspirant et expirant doucement, elle s'ajustait à ses dimensions, trois mètres de haut, puis deux, les cheveux lâchés et les mains sur les hanches – vers lesquelles David s'avança.

Quel était son nom ?

Et, comme s'il la prenait dans les bras, il s'enfonça dans la silhouette miroitante de la jeune fille, se faufila dans la Brèche et s'abîma hors du monde. Dernière pièce du grand puzzle, il se fondit dans l'ensemble. Le trou bouché, il n'y eut plus que du noir.

Désormais, dans le canevas complexe de l'univers nu et froid, le nombre des étoiles est fixe, la quantité des lumières reste à tout jamais inchangée.

Et c'est ainsi que David Hale Browser nous a ouvert l'Éternité.

LE PUITS D'ANITA

1
Le Puits

Lorsque vint l'Éternité de Browser, Anita se mit à rêver. Et voici ce qu'elle rêvait :

Anita se tenait sur la margelle et plissait les paupières dans l'espoir d'apercevoir le fond.

Elle portait l'uniforme vert et jaune des ouvriers au bord du grand chantier de l'Estrémadure : le Puits mondial. Petite, les cheveux frisés légèrement évasés vers le haut – qu'elle frottait régulièrement.

À cette heure du jour, le soleil plissait la peau fine autour de ses yeux noisette et ses taches de rousseur estampillaient la pâleur de son visage blanc comme une assiette. Elle était de ces personnes qui n'accrocheront jamais le premier coup d'œil; mais après quelques minutes, et après l'avoir vue parler, impossible de vous détacher d'Anita. Le corps gracile, il semblait que tout ce qu'elle perdait en taille, elle s'arrangeait pour le gagner en intensité.

Elle s'étira.

La côte découpée d'Espagne était battue par les vents. Anita retint les mèches désordonnées de ses cheveux, épais et couverts de sable. Le long de la côte, un complexe industriel formait un gigantesque parterre artificiel empiétant sur l'eau. La masse arachnéenne des raffineries, des bulles, des centrales et de l'ensemble du projet Puits se recourbait jusqu'à un pont fin et profilé, lardé de filins, blanc et semblable à un feuilleté de dizaines de boomerangs empilés, qui s'enroulait en spirale jusqu'à la margelle, sur laquelle se tenait Anita.

Le Baron de l'équipe Murcia siffla le regroupement.

Plongée.

La double semaine, la « quatorze » comme on l'appelait, commençait pour Anita. Chaque équipe partait pour des rondes de deux fois sept jours, descente et montée comprises. Ce coup-ci, ce serait peut-être la dernière ronde. Il restait à peine un kilomètre à creuser, à ce qui se murmurait dans les dortoirs et à la cantine. Mais le consortium ne voulait rien dire. Seuls les ingénieurs savaient.

Anita décolla ses grosses bottes noires en caoutchouc de la grille métallique sur laquelle elle piétinait, aux abords de la margelle. Elle enfila son heaume de protection et referma le scratch de ses gants de crampe, qui permettaient une adhésion optimale en profondeur.

Avec ses camarades, ils étaient cinquante de l'équipe Murcia sur la tourelle 4 d'accès au Puits. On comptait cinq tourelles d'accès autour de l'énorme fût qui dépassait de deux cents mètres au-dessus du niveau de la mer et auquel conduisait le pont, depuis les installations industrielles du consortium. Dix gigantesques rampes d'ascenseur bardaient de jaune poussin le béton vert forêt de l'entrée du Puits, une grosse cheminée de cinq cents mètres de diamètre, doucement incurvée au sommet, comme le col d'un vase ourlé à l'ouverture. L'immense central de construction relié au Puits par le pont constituait une plate-forme industrielle de verre et de métal sur pilotis, étendue dans toutes les directions et découpée en multiples bureaux de contrôle. La fonction des ingénieurs consistait à ausculter sans repos les failles sismiques, leur activité volcanique, afin d'ajuster les calculs de pression et de surveiller le Cœur capricieux.

Près de la côte, on apercevait aussi des tours d'habitation, deux gros cubes de retraitement des déchets, un radar souterrain rond à demi émergé, des passerelles, quelques préfabriqués pour le personnel d'appoint.

Le soleil baignait ce paysage mécanique, sous le ronronnement incessant des usines et des lignes de transport de l'autre côté des boomerangs, qui effectuaient la liaison sur dix kilomètres – surchargés de postes de contrôle et de péages – avec le continent et la base émergée du projet Puits.

Anita pénétra la première dans l'ascenseur, un quart de cercle d'un noir charbonneux, assez grand pour contenir cent personnes. Ridicule en comparaison des conduits à monte-charge qui, depuis chaque tourelle, se présentaient comme de colossaux tubes de métal brut d'une cinquantaine de mètres de diamètre chacun. Anita croyait savoir que des systèmes de traction différents – hydroélectriques, vraisemblablement – se relayaient à chaque station ou presque, c'est-à-dire tous les cent kilomètres environ. Mais on ne communiquait guère sur la technologie du consortium.

Anita s'assit par terre.

Le ménage n'avait pas été fait et le sol métallique était couvert d'une fine couche de glaise. On trouvait dans les casiers le long du mur en quart de cercle une réserve d'eau, des couvertures pelucheuses et quelques vieux coussins à disposition.

Elle sourit. Des gros lourds affichaient tout le temps des filles à poil sur les parois aveugles de l'ascenseur. Elle se releva, tapa dans les mains des autres ouvriers, ramassa son pack et attendit le départ, emmitouflée dans une couverture qui sentait le bouc.

L'ascenseur ne laissait échapper aucun bruit, mais il subsistait cette vibration qui vous prenait toujours aux tripes. La respiration de la Terre, à ce qu'on disait. Les scientifiques ne leur expliquaient jamais rien. Ce qui est certain c'est que plus vous vous enfonciez, plus votre estomac battait au rythme d'un cœur en proie à une attaque. Fallait avoir des tripes. Pour parvenir à une station, on mettait une heure. Les quarts de cercle étaient puissants, rapides et ponctuels. Aucun accident à redouter. Simplement, ils n'étaient pas confortables. Jusqu'au fond, il vous restait trois jours à tuer. Le grand voyage. Histoire de rentabiliser l'aller-retour, il était nécessaire de rester une semaine minimum à travailler au fond. Pas plus, sinon les gars pétaient les plombs. Quelque chose de spécial, le fond. Difficile à décrire. Les syndicats avaient obtenu cinq minutes de pause à chaque station et une pleine journée de repos en bas, au mitan des huit jours de boulot. On filait aux ouvriers une piqûre de Relax et ça partait en vrille pour vingt-quatre heures. Parce que sinon, question divertissement, au fond… Qui ne serait pas devenu dingue? Mais, Anita le savait, ceux qui étaient descendus une fois ne parvenaient plus à s'en passer. Une expérience sans pareille, en ce bas monde.

2

Dans l'ascenseur

Le Baron de l'équipe Murcia n'avait pas de menton mais un très haut front. Il intriguait Anita. Il n'était pas méchant, pas particulièrement sympathique non plus. Tout le monde le respectait et le craignait. De jour comme de nuit, il portait la vénérable tenue rouge rubis des grands barons du fond.

Anita était une fille pleine de curiosité et elle aurait souhaité lui poser des questions. Mais comme elle était la plus jeune et aussi la plus fille de toute l'équipe, il ne se serait pas passé une journée qu'elle aurait gagné la réputation d'être la petite favorite du patron. Ce qui aurait considérablement affecté le difficile équilibre de l'équipe, enfermée pour une « quatorze » dans un espace confiné. L'équilibre, c'était le plus important pour vivre ensemble dans le Puits, loin des repères de la surface. On méprisait volontiers les « surfaciers ».

Le Baron s'était assis à côté d'Anita, sans un mot, mastiquant son kat de synthèse en attendant les effets de la piqûre de Relax. Personne ne parlait et, comme l'air, le langage manquait à Anita, qui était de nature bavarde.

Anita s'était engagée dans le consortium par nécessité. Sixième fille de parents qui avaient subi la politique nataliste de l'État. Mais elle avait eu le choix de l'emploi, parce que, à défaut d'obtenir des bourses scolaires, elle avait démontré suffisamment de qualités intellectuelles pour passer en deuxième classe de travailleurs manuels.

Le Puits était la dernière grande aventure humaine sur Terre. Anita avait manifesté dès l'enfance de l'intérêt pour ce projet monstrueux. Et il se trouvait qu'on engageait des gens de petite taille afin de desservir les liaisons dans les galeries du fond. Elle avait candidaté et, après une batterie de tests, s'était retrouvée dans l'équipe de réserve industrielle de la première tourelle. Repérée par le Baron en personne, elle avait remplacé la fille précédente, qui avait péri asphyxiée après avoir commis une erreur de pique.

La tâche d'Anita était simple et délicate à la fois. Elle balisait d'abord le périmètre du trou de petites piques alpha emplies du gaz secret (les ingénieurs ne disaient jamais rien...), solidifiant en cinq minutes la couche magmatique sur une profondeur de cent mètres. Lorsque la structure de la matière proche du centre de la Terre se trouvait stabilisée, les ajusteurs installaient sur le périmètre les cuillères, qui foraient le pourtour sur les cent mètres solidifiés, sous la surveillance du Baron. Puis les couvreurs glissaient avec soin le long du bord circulaire la couverture, une fine couche d'alliage protecteur gris tapissant les cent mètres de découpe et passant sous la couche ainsi tranchée, grâce aux soubasseurs. La couverture s'apparentait dès lors à un bol contenant le cylindre de cent mètres de profondeur de magma solidifié, séparé du reste de la Terre. L'équipe remontait dans les ascenseurs. Anita restait en arrière et plantait dans les galeries du pourtour les piques bêta, pleines d'un gel qui liquéfiait en moins d'une minute la matière du cylindre. Il fallait se montrer prompte, agile et ne pas perdre un geste en route, comme disait le Baron. C'est lui qui actionnait les puissantes pompes fixées sur les monte-charge. Anita refermait la porte du sas de l'ascenseur derrière eux. L'ascenseur tremblait, au-dessus de ce qui était devenu une poche de liquide instable, reconduit jusqu'à la surface par les aspirateurs. Les pompes dépendaient désormais des monte-charge et les ouvriers, dans l'ascenseur, avaient accompli leur tâche. Des pipelines dans les boomerangs récupéraient le liquide à la sortie des pompes afin de le filtrer et le transmettre au complexe industriel du consortium.

Le but ultime était de creuser un Puits unique qui conduirait de part et d'autre de la Terre. On avait construit la base espagnole et la base US-Pacifique, sur un archipel non loin de la Nouvelle-Zélande. Les ingénieurs corrigeaient au millimètre près la trajectoire afin que les deux puits se rejoignent très exactement au centre de la planète. Depuis vingt et une années, l'aventure passionnait. Anita n'y participait que depuis une vingtaine de mois, alors que le Baron avait connu la première fosse, la « cuve », et les tout débuts du projet, lors de l'assemblage des boomerangs et de la construction des tours.

Anita héritait du boulot le plus dangereux : piqueuse. Mais qui ne l'aurait pas respectée ?

Ce qui avait frappé d'emblée les scientifiques, ça avait été l'incapacité de machines et de robots à travailler à une telle profondeur. Il fallait envoyer des hommes. Le magnétisme, accompagné d'un phénomène d'origine inconnue – mais voisin –, déréglait tous les programmes. Il s'agissait de la célèbre « respiration ». Même les grues devaient être changées à intervalles réguliers : elles tombaient en panne au bout de trois semaines à peine.

Parfois, les ouvriers se rendaient compte qu'on leur demandait de plonger moins vite en profondeur et de se livrer à des extractions latérales – ce qui était contraire au code scientifique du projet et mettait en péril la structure même du Puits. Mais le consortium avait certainement décelé un matériau nouveau très riche, grâce à l'analyse du liquide remonté des pompes aux pipelines, et le conseil d'administration en réclamait des quantités supplémentaires. Avec le temps, la pression de l'opinion publique – qui attendait impatiemment la jonction, puis la mise en marche d'un moyen de transport transplanétaire – avait contraint le consortium et les syndicats à accélérer le mouvement : la crise économique menaçait, il fallait en finir maintenant.

3

L'équipe du Baron

C'était l'avant-dernier jour de la semaine et rien n'avait été prévu. Après avoir terminé le travail d'une profondeur de cent, comme à l'habitude, les nettoyeurs étaient entrés en action. Anita venait de sortir la tête de sous la couverture, tandis que le Baron était en liaison avec la surface. Près du monte-charge de la tourelle 4, un câble rouge servait aux ordres d'évacuation d'urgence et aux alertes géologiques. Lorsque le câble avait sonné, tous les membres de l'équipe présents dans l'ascenseur avaient retenu leur souffle.

Anita eut la prescience d'un événement échappant à la routine de la semaine de travail. Elle regarda à travers le gyroscope du Baron : à un demi-kilomètre de distance, dans le noir le plus profond, l'éclair des métaux fluorescents fixés sur les monte-charge et les ascenseurs, on entrevoyait les trois autres équipes dans leur quart.

L'électricité ne passait pas à cette profondeur et les communications n'étaient possibles que par la manipulation complexe de fils ultrasensibles. Après avoir décodé le message du câble, le Baron siffla le rassemblement et s'accroupit près d'Anita. Elle prit peur de ce privilège et ne regarda pas le Baron dans les yeux. Elle ne voyait que son absence de menton et son large cou de taureau palpitant. Il expliqua : « Le central a reçu les calculs des scientos. Nous sommes à cinquante mètres des autres, les Têtes-en-bas. » C'est ainsi qu'on surnommait les ouvriers du puits US-Pacifique.

Les ouvriers des deux puits de forage s'apprêtaient donc à effectuer la jonction.

Le Baron renifla. « Tu es la plus petite, la plus agile. Une galerie à dix degrés ouest exactement. Ce sont les ordres. Et tu plongeras. De l'autre côté, ils envoient un piqueur Tête-en-bas. OK ? »

Anita acquiesça.

Le Baron essaya de dessiner un sourire sur ses lèvres asséchées. Le sourire anima sa peau et on eût presque dit l'espace d'un instant qu'il possédait un menton – une âme aussi, qui sait ?

« Pour… pour la gravité, comment on fait ? On ne sera plus couverts. » L'alliage des couvertures glissées le long du périmètre de chaque tronçon assurait en effet une pesanteur artificielle.

Le Baron lui fit signe. Dans une caisse noire et jaune du monte-charge se trouvait une sorte de grosse toupie, un moyeu drôlement articulé, pas énorme mais très pesant.

« C'est la Vis, dit le Baron, l'un des composants stabilisateurs au cœur du Puits quand il sera fini. Elle rétablira une gravité dans un champ sphérique. D'après les scientos, tu dois la fixer dans le trou quand tu te trouveras à moins d'un mètre du Tête-en-bas. Là, tu la piqueras. Tu as l'habitude. Lorsque la vis sera en place, tu tourneras *dans le sens des aiguilles d'une montre*, et ce sera bon. Tu attends que le Tête-en-bas te rejoigne, vous vous serrez la main, vous vous embrassez... Peu importe. De toute façon, le consortium a déjà filmé la version pour les médias. »

Anita fut intriguée.

« C'est quoi, l'histoire ? »

Le Baron haussa les épaules.

« Je crois que vous avez eu le coup de foudre l'un pour l'autre et vous êtes tombés amoureux. Probablement que ça fera pleurer dans les chaumières. »

Anita sursauta.

« On ne m'a pas demandé mon avis !

– T'as signé. Je t'ai déjà trop parlé. C'est une autre fille choisie par le consortium qui jouera ton rôle à la télévision. Un modèle, c'est son métier. Plus jolie. »

Et le Baron se leva, devant l'assemblée des hommes les bras croisés, en marcel, les épaules couvertes de suie et de poussière.

Anita ferma les yeux. La pulsation était devenue presque insoutenable. Les parois résonnaient du cri de la Terre et les métaux fluorés se mêlaient à l'obscurité et au rayonnement du noyau, lorsqu'on jetait un œil par le gyroscope. En regardant vers le haut de l'ascenseur – jeu auquel il fallait s'abstenir de jouer trop souvent, si on ne voulait pas être frappé par le vertige inversé –, on apercevait une masse noire et gris scintillante et, en son cœur, un minuscule point blanc d'une intensité terrifiante : c'était peut-être le ciel, ou son reflet, à travers le plafond. Ici, seul le pénible jour du fond, entretenu par la fluorescence verdâtre des barres à mi-hauteur des parois, permettait de travailler. À sa lueur, on distinguait les carrés réguliers des plaques boulonnées de l'ascenseur en quart de cercle. La respiration les faisait trembler, comme une explosion sourde contenue seconde après seconde par les couvertures, derrière les murs. Qu'y avait-il *derrière* ? Seuls les scientifiques le savaient. De la matière en fusion, le noyau. Mieux valait ne pas y penser.

Anita regarda le Baron, une cravache de métal à la main, qui annonça laconiquement : « Un grand honneur. Le soleil de notre côté. C'est le consortium qui l'a obtenu, contre les Américains. Donc nous aurons la Vis avec nous. Nous serons au centre de la Terre les premiers, quelques secondes avant la jonction. Et ce sera Anita. »

4

La Vis

« Pourquoi elle ? »

On sentit monter l'irritation des troupes. Elle n'avait que deux ans d'expérience. Le Baron se contenta de désigner la direction de la galerie à Anita. Puis, assisté par les couvreurs, il lui accrocha au plastron la Vis à l'aide de lanières et d'un système de mousquetons. Anita reçut en silence une Cuillère automatique individuelle, programmée pour creuser sur cinquante mètres.

« Que tout le monde lui souhaite bonne chance. »

Anita pénétra seule dans la galerie, fixa fermement la cuillère entre ses jambes. Aiguillonnée par une formidable excitation, elle reprit sa respiration. La cuillère entra en action et perfora le sol de la couverture. La vibration de la cuillère en sus de la respiration du noyau fit vaciller les jambes déjà flageolantes d'Anita. Elle s'enfonça tout entière avec la cuillère dans un trou protégé à la mesure de sa perforation par une sorte de bâche grise, empêchant l'écoulement magmatique dans le conduit.

Encore quarante mètres.

La Vis était trop lourde. Les cheveux d'Anita lui rentraient dans la bouche, sales et poisseux. Parfaitement droite afin de ne pas changer d'axe, elle avait accompli la moitié du chemin lorsqu'elle entendit un léger crissement métallique de l'autre côté, sous ses pieds. Était-ce le Tête-en-bas ? Son amoureux ? On le distinguait avec difficulté du bruit de fond. Bientôt, il n'y aurait plus de profondeurs sur Terre et toutes les surfaces se confondraient. Que se passerait-il ? Est-ce que ce serait mieux ? Ou moins bien ?

Cinq mètres. La cuillère ralentit et Anita dégrafa d'une main la Vis de sa poitrine, en la pressant entre ses cuisses pour ne pas la laisser échapper. Pesante et encombrante. Mais elle se concentra sur sa tâche et ficha la Vis à proximité du centre exact de la planète Terre. Le dernier moment.

Soudain, elle ne se souvint plus. *Le sens des aiguilles d'une montre*. En sueur. Il faudrait qu'elle remonte demander. Non, ridicule. Tellement idiot. Esquissant un geste du poignet, elle essaya à toute force de se rappeler. Mais au centre de la terre on perdait ses repères les plus simples. De gauche à droite, de droite à gauche… Est-ce que l'aiguille descend ? Est-ce qu'elle monte ? Bien entendu, elle monte et elle descend. Voyons. Le soleil se lève-t-il à l'ouest ? À l'est ? Comment s'appelle ce pays, déjà ? Le Japon… Pays du soleil levant… Oui, mais se trouve-t-il à l'est de l'Europe, ou à l'ouest, si on voyage en transitant par les États-Unis ? Les deux. Anita paniqua : est-ce que la Terre tournait dans le sens des aiguilles d'une montre ?

Comment savoir ?

Est-ce que le cœur est à gauche, à droite ? Un moyen mnémotechnique. Elle posa sa main contre sa poitrine brûlante. Plus rien n'avait de sens. Le cœur était partout : cette pulsation incessante, dans sa cage thoracique affolée, dans la Terre qui gronde. Partout.

Vite, il fallait faire vite. Le Tête-en-bas, son petit amoureux, débarquerait d'ici une minute. Anita l'entendait creuser, de l'autre côté… Et il n'y aurait pas de gravité… Le Puits n'allait tout de même pas s'effondrer sur lui-même par sa faute. Petite sotte. Elle s'assit sur la Vis et l'agrippa jusqu'à s'en retourner les ongles. Fermant les yeux, elle cessa de réfléchir. Il fallait choisir. Incapable de retenir un petit cri implorant, Anita tourna la grande Vis de métal de la droite vers la gauche.

Tout devint lent, calme et silencieux. Le silence s'étendit à une vitesse sidérante, telle l'onde de choc d'une explosion, au cœur d'une étoile.

Et Anita perdit connaissance.

5
Table rase

Lorsqu'elle revint à elle, tout était retourné à la surface, comme à l'air calme après un ouragan.

Anita ouvrit les yeux.

Les cheveux lui collaient aux paupières, elle gémit : « Baron ? »

Combien de temps était-elle restée inanimée ? Elle était nue sous le ciel, à même le sol. Anita crut reconnaître la côte d'Estrémadure : la mer, la houle, la forme des rochers. Ce qui était étrange, c'est qu'il n'y avait pas trace du complexe industriel, des boomerangs ou du Puits. Rien. Une côte sauvage. Elle appela de nouveau le Baron, mais elle était seule ici. Elle se leva, tenaillée par un fort sentiment de curiosité, désireuse de découvrir comment les choses avaient tourné.

Au bout d'une petite heure, elle comprit qu'elle se trouvait toujours sur Terre, dans quelque endroit inconnu près de la mer et loin du Puits. Elle ne savait ni comment ni pourquoi, mais elle l'accepta.

Anita était une fille courageuse, toujours prête à faire avec ce qu'on lui donnait. Une fois repérée la place du soleil dans le ciel, elle estima l'heure et traça du regard une ligne droite vers l'intérieur des terres. S'attachant les cheveux avec un brin de paille qui traînait, elle ne perdit pas de temps en conciliabule intime et marcha sans s'arrêter le long d'un fleuve. Le meilleur moyen de savoir était encore de chercher.

Durant deux jours, Anita nue, recouverte de poussière pour se défendre des rayons du soleil, se nourrit de baies sauvages, qu'elle sélectionnait avec soin après avoir vu de petits animaux – des rongeurs d'espèce inconnue – les manger. Montant et descendant au creux de paysages proches de ce qu'elle s'imaginait être la pampa, Anita crut deviner l'identité de l'endroit avant même de lire les panneaux.

Elle rejoignit la route et grimpa sur le bas-côté. Puis ce fut la banlieue, en rase campagne. D'emblée, elle sut que les lieux étaient inhabités.

Elle pouvait sentir dans le vent chaud que ce qui était arrivé était arrivé à tout le monde. Mais quoi ? Que s'était-il passé ? Personne, nulle part. Avenues, maisons, magasins, véhicules déserts. Rien n'avait changé, sauf les hommes… Disparus, envolés.

Anita pensa : « Je suis certaine que c'est *partout* pareil. »

Entrant dans un bâtiment blanc qui ressemblait à un grand internat, près d'un hôpital, elle eut la confirmation, à la lecture de dépliants abandonnés sur des présentoirs, qu'elle se trouvait dans l'hémisphère Sud, en Argentine.

Esplanade vide. Par la fenêtre des bureaux, des sièges, des dossiers ouverts, les lampes allumées. Quelle heure était-il lorsque tout le monde s'était évaporé ? Passant dans la cour de cet internat pour gens aisés, elle prit plaisir à errer dans les travées ; une lumière jaune et bleue d'après-midi tranquille traversait les choses. Les chambres individuelles avaient conservé un peu du parfum de leurs occupants ; quelques lits lui parurent encore creusés par les fesses de garçons et de filles. Elle laissa filer ses doigts le long des murs, respira l'odeur d'une disparition instantanée.

Anita dévalisa la garde-robe de plusieurs étudiantes, et puis préféra s'habiller comme un garçon, en pantalon serré, une chemise blanche au col échancré. À l'occasion, elle jeta un œil sur les photographies punaisées sur des tableaux en liège. Qui avait habité ici. Qui avait disparu. Dans la chambre d'une grande fille blonde à lunettes, elle trouva un sac. Dans celle d'un adolescent boutonneux et dodu, des serviettes propres.

Puis elle prit une douche, profita de l'odeur doucereuse du savon pour filles et sécha soigneusement ses cheveux. Pour la première fois, elle se fit une beauté et un trait de rouge à lèvres.

Après avoir empli à ras bord son nouveau sac à dos, elle quitta l'internat et passa l'après-midi à dresser la liste de ses besoins.

Car elle avait un plan.

Anita vola de la nourriture en conserve, se constitua une petite pharmacie et remplit des jerrycans d'eau, d'essence. Avant le crépuscule elle se mit en quête d'armes.

Elle dormit dans le lit de la fille blonde, pensa à elle et mangea quelques noix en regardant une vieille cassette vidéo sur un magnétoscope trouvé dans les rayons déserts d'un magasin d'occasions. La nuit, les réverbères s'allumèrent. Automatique.

Le lendemain, sur le parking à l'arrière des bâtiments, elle gara un bus de tourisme qui barrait une avenue, deux rues plus haut. Les clés étaient sous le volant. Dans la soirée, alors qu'elle terminait de charger bagages et provisions, un cercle de chiens se forma autour du véhicule. De plus en plus agressifs, de toutes races, ils tournèrent et s'approchèrent d'elle. À l'entrée du parking, des chats attendaient. Les animaux n'avaient plus rien de domestique. Lorsque des loups et quelques autres bêtes échappées du zoo municipal, alliées à des créatures des déserts environnants, lui coupèrent l'unique voie de retraite vers l'internat, Anita sortit un briquet et mit le feu aux voitures les plus proches. La meute recula.

Il ne lui fut possible de sortir de la ville qu'à la condition de se tracer un chemin incendiaire : poubelles renversées, vitrines brisées, bidons d'essence répandus, torches et allumettes dans les réservoirs des stations-service… Les animaux la suivaient à distance respectueuse, effrayés qu'ils étaient par les flammes.

Lentement, le bus quitta la ville, abandonnant derrière lui un paysage apocalyptique. Percutant les voitures en travers de l'autoroute, Anita fatiguée regretta pour la première fois sa solitude. Harcelée par les animaux, elle remonta vers le nord.

6

Signal d'appel

Après avoir repeint le bus en jaune et vert, aux couleurs de son équipe, Anita rebaptisa l'engin du nom du

Baron, pour lequel elle avait conservé de la considération. En se demandant où il était, comment il allait, il lui semblait qu'elle se souciait du même coup du sort de tous les hommes – qui était devenu une question abstraite.

Sifflotant en lunettes noires au volant de son bus, Anita remonta vers ce qui avait été le Brésil. Elle roulait au beau milieu de la route, évitant les carcasses d'automobiles, devenues des nids d'animaux sauvages. Lorsqu'elle se lavait nue dans les rivières, elle plantait sur la rive des dizaines de torche enflammées, afin d'éloigner les prédateurs. C'est en se baignant que lui vint l'idée d'enregistrer un message sur de puissants émetteurs, raccordés à des balises de détresse tous les cinquante kilomètres – aux alentours des villes ou près des péages. Comme le souvenir de l'amoureux qui lui avait été promis de l'autre côté du Puits hantait ses rêves, elle pensait souvent au Tête-en-bas et dressait parfois en pensée son portrait idéal. Qui sait s'il n'avait pas atterri comme elle, ici ou là ? S'il répondait à son appel, ils seraient deux à remonter le continent américain en quête de réponse.

Laissant derrière elle, comme le Petit Poucet, des messages radio en boucle, Anita roula longtemps. Il faisait chaud, elle buvait au goulot et sifflait des chansons alors qu'il n'y avait plus à la radio qu'un continuel bourdonnement, qui lui tenait compagnie en attendant mieux.

7

Compañeros

Anita se trouvait dans le nord du Mexique lorsqu'un signal se déclencha au fond du bus. Elle arrêta le véhicule vert et jaune poussiéreux dans le désert.

Renouant ses cheveux, elle soupira. Le signal venait de Colombie. Un sacré bout de chemin.

Empruntant les grandes artères, elle contournait les voitures recouvertes de sable, prenait garde au bitume qui n'était plus entretenu et passait à l'écart des grandes cathédrales technologiques urbaines qui s'abîmaient avec le temps. À la frontière du Costa Rica, elle reçut un nouveau signal du Pérou.

Au moment d'arriver sur le lieu du premier appel, elle en avait enregistré trois autres.

Mais elle n'avait pas tout à fait imaginé la scène comme ça.

Elle ôta ses lunettes de soleil, se gara. La place était vide et dans l'ombre du square, un homme se leva.

« O-hé ! »

L'homme portait un costume jaune et vert, celui des ouvriers du Puits. Il marchait lentement, un peu vieux. Lorsqu'il la dévisagea, elle sentit qu'il se demandait si elle était une jolie fille ou pas. Mais il parut déçu. Elle aussi.

Du moins eut-il l'élégance de tendre la main.

« Je m'appelle Manolo. »

Elle lui sourit. « Vous étiez dans le Puits ? Quelle équipe ?

– Valencia. »

Anita fit l'effort de lui parler en le regardant : « Troisième tourelle... Moi, c'est Anita, quatrième tourelle, équipe Murcia. »

Déjà, il semblait la trouver plus attirante qu'au premier coup d'œil. « Alors y a plus que ceux qui étaient dans le Puits ?

– Difficile de généraliser. Je n'ai rencontré personne à part vous. »

Puis elle se tut. Il s'excusa pour sa rudesse : il était persuadé d'être le dernier homme à la surface de la Terre. Il l'invita à partager son repas et ils bavardèrent. Des poils sortaient de ses oreilles, il avait des bajoues et le regard terne. Mais Manolo se détendit, la fit rire, la rassura : il n'y avait pas d'animaux sauvages à proximité. Réveillé dans la jungle guatémaltèque, il avait subi les assauts de bêtes enragées et montra sur ses avant-bras et autour de son nombril les cicatrices longues et profondes qui lui en étaient restées. Il avait passé une semaine dans un village indien, à manger des galettes de chaux. Puis gagné la ville à pied. Emprunté une voiture, un véhicule tout-terrain. Erré depuis dans l'espoir de gagner les États-Unis.

Manolo mangeait proprement et il parlait en choisissant ses mots avec soin. Anita jugea qu'il serait un compagnon fidèle et l'invita à monter dans le bus, afin de récupérer d'autres survivants. En trois jours, ils reçurent deux nouveaux appels.

« Je veux dire, ça fait du bien d'avoir un but. »

Manolo fit l'effort de discuter avec Anita, tandis qu'elle

conduisait, le bras accoudé à la portière, vitre ouverte. Mais ses paroles s'épuisèrent bien vite et elle entrevit les difficultés qu'il avait à passer ses jours et ses nuits aux côtés d'une jeune fille, d'une femme, l'effort que lui demandait chaque fois un regard droit dans les yeux, un contact de la main pour se passer les clefs, une assiette, un duvet, ses difficultés à dormir au coin du feu, à moins d'un mètre d'elle.

Patiemment, Anita s'enquit de sa vie d'avant.

Pas grand-chose à dire. Ouvrier de chantier. N'avait pas choisi sa vie. Taciturne.

Sur les hauts plateaux, ils ramassèrent Ricardo, au bord de la déshydratation. Puis leur premier Tête-en-bas, qui s'appelait Jimmy, près du fleuve. Un second, nommé Jason, dans une ville à la lisière de l'Amazonie. Ceux qui s'étaient réveillés dans la forêt avaient eu moins de chance, livrés d'emblée aux forces hostiles de la faune et de la flore. Enfin, Eddie et Carlos. Et ce fut tout.

Aux Têtes-en-bas du Pacifique, Anita demanda quelques renseignements sur son double, son amoureux promis, de l'autre côté de la Vis. Sans succès.

On s'entendit comme de vieux amis. Dans toutes les stations-service qui n'avaient pas explosé, du carburant. Des gars modestes et Anita les guida. Guère causants, mais honnêtes. Ils acceptèrent Anita comme ils avaient supporté leur condition. L'ordre des choses, avait murmuré un soir Jimmy.

Est-ce qu'il n'existait pas, en ce monde, quelqu'un d'autre qu'Anita habité par cette curiosité, ce désir de savoir qui la dévorait et l'engloutissait au coucher, au réveil ? Elle supposa que c'était le fait d'entrevoir en elle le gouffre de cette volonté de comprendre qui lui valait auprès d'eux son titre officieux de chef de leur équipée.

« On est remontés jusqu'aux États-Unis. Où on va, maintenant ? »

Personne ne sut. Carlos proposa de ne plus bouger et de vivre ici. Eddie, de poursuivre la recherche de survivants sur d'autres continents.

Anita les renvoya dos à dos. « Ramasser les survivants, c'est pas le but, c'est un moyen. Mais pour quoi faire ? Pas pour fonder une ville à dix ou douze. Réfléchissez. Bon Dieu, réfléchissez bien. »

Elle attendait qu'ils lui parlent du Puits. Et elle redoutait par-dessus tout la question : avec la Vis, qu'est-ce qui s'est passé ? Qu'est-ce que tu as fait ? Elle priait pour qu'ils prennent la responsabilité de le lui demander. Qu'elle puisse en parler. Mais aucun n'évoqua le passé ; aucun ne chercha de raison, de cause, de coupable.

Jimmy portait une grosse moustache, en dépit de traits particulièrement fins, une bague au petit doigt, et elle l'aimait bien. C'est lui qui exprima l'opinion répandue parmi ses compagnons : « On est bien comme ça, non ?

– Que demande le peuple ? » plaisanta Jason, en manipulant nerveusement du bout des doigts une canette de Coca-cola.

Quant à Ricardo, il ne pipait mot.

Déçue, Anita se rangea à la proposition d'Eddie et les convainquit en quelques phrases de poursuivre leur périple, en passant par le détroit de Béring, chargeant le bus sur un transbordeur comme savait les conduire Jimmy. Jusqu'à l'Europe. L'Espagne.

Aucun n'évoqua le Puits d'Estrémadure.

« Bon, ben bonne nuit. »

Blottie dans son sac de couchage sarcophage, Anita passa les deux mains sous sa nuque et contempla la nuit noire, bleutée, repérant la triplette d'étoiles d'Orion, traversant le vide jusqu'à Castor et Pollux, et remontant ensuite vers Capella. Il lui sembla que quelqu'un, quelque part, regardait comme elle les constellations et que, de l'autre côté du miroir obscur de la nuit, un esprit parfaitement semblable au sien se reflétait dans le corps d'un homme. L'air fraîchit, la demi-sphère étoilée bascula lentement. Eddie commençait à ronfler. Aperçu de loin, c'était le tableau du bonheur en plein air. Dans les profondeurs de son cœur, Anita savait qu'elle ne pouvait s'en contenter. Ses paupières clignèrent. Il était déjà tard.

Et pour cinq hommes elle était la seule femme.

Elle le resta dix mois durant.

Après des détours et la traversée du détroit, des plaines désertes de Mandchourie, Anita et sa troupe passèrent le Huang He et le Yang-Tsé-Kiang. Ils trouvèrent étrange de ne recueillir aucun survivant sur cet immense territoire.

Un soir, alors qu'on se dirigeait vers Hong Kong, Anita, perdue dans ses pensées et emmitouflée dans son sac de couchage, crut percevoir la pulsation de la Terre. La sensation lui revint, qui l'avait traversée avant qu'elle ne décide de…

Elle se redressa. Silence dans le camp.

Quelle heure était-il ? Elle regarda sa montre. Et l'évidence cachée lui apparut : elle avait tourné la Vis *à l'envers.*

À l'envers.

Elle en était certaine.

À cet instant, le bus fut percuté, dans une cacophonie épouvantable, par trois éléphants enragés. Anita, à terre, s'enfuit en rampant ; Manolo, Ricardo, Jimmy, de garde, s'en étaient également sortis. Quant à Eddie, Jason et Carlos, demeurés dans le véhicule piétiné par les mastodontes, leur mort ne faisait pas de doute.

À pied, les quatre survivants se réfugièrent sur une colline, à l'aube. Agressés par des oiseaux piailleurs, ils se replièrent vers une grotte, exténués, dans laquelle tous s'endormirent, les uns sur les autres.

8

La citadelle du Baron

Au réveil, ils étaient prisonniers d'un vieux filet de pêche en nylon. Une dizaine d'hommes, la clope au bec, les entouraient. Tous portaient le costume vert et jaune des ouvriers du Puits. Anita reconnut deux gars de son équipe, qui répondirent à Anita – en les transportant pieds et poings liés à travers la jungle, sur des sentiers escarpés et sous la brume matinale – qu'ils les conduisaient au Baron.

Anita fut presque heureuse de le savoir en vie. Mais, détournant le visage, suspendue par les quatre membres à une barre métallique portée par trois hommes, qui basculaient sur l'autre versant des crêtes, elle n'en crut pas ses yeux. La perspective, qu'elle ne pouvait qu'entrapercevoir au prix d'une gymnastique malaisée, le cou tordu, avait la folie d'un décor d'opéra.

Les gratte-ciel avaient été abattus comme des arbres. Empilés à l'horizontale, ils formaient les murs incongrus et à demi éventrés d'un château, un krak médiéval aux dimensions démesurées, aux murailles de verre brisé.

Un des ouvriers déclara mollement : « C'est la nouvelle citadelle. »

Entre deux immeubles à l'horizontale, on devinait un portail obtenu, comme à l'entrée d'une cathédrale, par deux piles de voitures qui se rejoignaient en arc-boutant. Un levier permettait de lever ou d'abaisser le pont-levis, une façade de musée, au-dessus de douves creusées à même les trottoirs. Au sommet de la muraille de gratte-ciel abattus en travers, on apercevait plusieurs centaines d'hommes affairés, tous habillés de jaune et de vert.

L'un d'entre eux, après leur entrée dans l'enceinte, fit signe à ses geôliers de libérer Anita, à l'exception des poignets, pour la faire comparaître devant le Baron.

Il n'avait pas changé. Trônant au beau milieu de carcasses fumantes de bâtiments du centre d'affaires, sur un siège de brique et d'acier, sans menton, le manteau rouge rubis, il commandait la mise à bas systématique de la cité, tout en prenant garde de demander à ses hommes de maintenir les animaux loin des feux allumés au-dessus des immeubles abattus par ces nouveaux bûcherons.

« Anita, enfin. » Il hésita à la regarder dans les yeux. « Tu es la seule femme. Il n'y en avait pas d'autre ce jour-là, dans le Puits. Peut-être deux autres chez les Têtes-en-bas, à ce qui se dit parmi les hommes. Pas trouvées. Nous allons prendre soin de toi. »

Les poignets sciés par le cuir des menottes, Anita, à genoux, lui demanda ce qu'il faisait, désignant d'un petit mouvement de la tête la ville en ruine.

Le Baron la coupa : « La Terre nous a prévenus. Ceux de la surface ont disparu. Nous sommes les seuls survivants. Pas un hasard. » Il lui fit signe de se relever. « Tu devras enfanter. »

Anita eut le sentiment cauchemardesque d'une société modelée sur l'environnement microscopique et étouffant de l'ascenseur, dans le Puits, où ils avaient tous travaillé. Les hommes, alentour, la regardaient.

Elle dit : « Oui. »

Ému par son obéissance et sa fidélité, le Baron promit de la protéger de la concupiscence et de lui aménager un palais.

Au vieux couvreur qui la ramena parmi les décombres gris et poussiéreux vers ses appartements, elle demanda : « Où sont donc passés les autres barons ? »

Il dodelina. « Y a qu'un Baron. Les autres, morts. Tués. Le vrai Baron. Le seul. »

9
Rafale

La petite centaine d'ouvriers en combinaison jaune et vert mettait consciencieusement le feu à des magasins, et retaillait des éclats de verre pour s'en faire des armes de poing.

Jimmy s'approcha d'Anita en lui glissant : « Désolé que tu sois la seule femme, ici. On te protégera. »

Un pas de recul et Anita lui répondit : « Pas besoin d'être protégée. On peut s'échapper cette nuit. La citadelle est gigantesque et il y a peu d'hommes. »

Jimmy baissa la tête. « Tu veux toujours partir ?

– Pas toi ? »

Jimmy reprit sa collecte de morceaux de bois. « Pour aller où ? »

Un râteau à la main, Manolo prit le relais auprès d'Anita, assise sur un parapet, comme une princesse dominant les ouvriers. « C'est bien ici, Anita. Tu ne travailleras pas. »

Sous sa brassière rose, qui la distinguait des autres, Anita s'agita. « Comment le Baron a construit tout ça ? Tu ne le sais même pas…

– Il s'est réveillé près de Hong Kong. A utilisé les radars militaires d'une base chinoise pour localiser les survivants. Pris un avion, survolé tout le territoire, recueilli tous les hommes en moins de trois semaines. Puis fait détruire les tours. »

Manolo bâilla.

« Un avion ?
– Plus maintenant. Pas de technologie. Avions détruits. »
Amère, elle se leva. « Vous êtes en train de vous faire embrigader. »

Jimmy intervint, une pelle sur l'épaule. « Y a des ordres, tu vas à la chambre. T'attends là-bas. »

Et Anita attendit dans la chambre d'une ancienne *mansion*, lavée, habillée et coiffée.

Couchée en robe blanche, dans une chambre aux murs blancs et nus. Le Baron venait la voir le matin et le soir. Entre-temps, chaque ouvrier pouvait disposer de son droit de visite hebdomadaire. Jimmy s'était excusé. On discutait de tout et de rien. Des animaux qui rôdaient, de la pluie, du sol, des cultures, des maladies et du manque de médicaments.

Le Baron avait voulu préciser sa vision à Anita, en lui tenant la main. « Toi, tu ne dois pas faire d'effort physique, tu ne dois pas prendre de risques. Si tu meurs, nous mourrons tous. Je ne suis pas mauvais. Prends les livres que tu veux, à la bibliothèque. Tu les transmettras aux enfants. »

Anita avait peur qu'il lui pose un jour la question : « Anita, dans quel sens tu l'as tournée, la Vis ? » Mais le Baron ne parlait pas du passé et il ne s'interrogeait jamais sur les raisons de la disparition des autres et de leur propre survie. Comme elle cauchemardait, elle lui dit un matin : « Peut-être que nous sommes tombés tout au fond du Puits et que nous sommes maintenant en Enfer. »

Le Baron blêmit ; il prit congé.

C'était la saison des pluies. L'air était moite et mou.

Chaque soir, Anita s'échappait, après la visite du Baron, enfilant un blouson sur sa robe blanche et sa brassière rose, pour fausser compagnie aux gardes, par la fenêtre, sous la moustiquaire. Descendant la façade du bâtiment mal entretenu, elle faisait le tour des jardins qui sentaient le chèvrefeuille, la fougère et l'humus frais. Personne n'essayait de s'échapper de la citadelle. Il n'y avait nulle part sur Terre où aller, à moins de vouloir errer des années dans un bus, en attendant de tomber en panne d'essence. Tous les ouvriers, habitués à travailler sur de gigantesques chantiers, sans famille et en équipes, respectaient le Baron et s'étaient ralliés à lui faute de mieux.

Frissonnant sous le blouson d'aviateur, Anita marcha jusqu'à un hangar, au fond des jardins. Laissant coulisser la porte sur les rails, elle découvrit dans l'ombre deux avions civils. Des modèles de musée.

« Il a détruit tous les avions, hein… »

Le sourire aux lèvres, elle retourna dormir.

Anita réclama auprès du Baron une liste d'ouvrages de référence sur les transports du passé : trains à vapeur, tractions avant, avions à hélice, bateaux à vapeur… Insistant sur le fait qu'il fallait entretenir la mémoire de cette technologie, elle s'empressa d'ajouter qu'elle avait toujours été passionnée par ce domaine : son bus en témoignait, ou plutôt ce qu'il en restait. Le Baron n'y vit aucun inconvénient. Allongée du matin au soir sous un plaid, entre deux rendez-vous avec des ouvriers, Anita dévora les manuels techniques de pilotage.

Une nuit, pour entretenir la conversation mourante, elle

demanda au Baron rêveur, le menton engoncé dans son cou, assis devant son lit sur un fauteuil d'acier et d'osier : « Le Puits d'Estrémadure… Il est toujours là-bas ?

– Je ne sais pas. »

Il but un verre d'alcool et se tut.

« Nous pourrions essayer de comprendre…

– Mmmh. » Il la regarda.

Anita ne comprenait pas qu'il ne partage jamais sa curiosité.

« L'Afrique ? Des survivants, là-bas ? »

Le Baron resta de marbre. « Probable. Peut-être regroupés à leur manière… »

Anita hésita. « Vous ne désirez pas entrer en contact avec eux ?

– Non. Deux camps séparés. Le nôtre plus nombreux. Point faible, les femmes. S'ils en ont.

– Que se passera-t-il si vous les croisez ?

– La guerre. »

Il hésita à se resservir un verre, ne voulut pas s'enivrer et, les mains tremblantes, prit congé d'Anita, allongée en robe sur le lit, le poing contre la tempe – songeuse.

Anita vit l'avenir : elle n'en avait aucune envie.

Et son amoureux jadis promis de l'autre côté du Puits ?

Anita attendit la nuit pour enfiler le blouson rouge et blanc et se faufiler dans le hangar. Elle s'installa aux commandes du premier avion, un Caudron C460 Rafale, vieux modèle, bleu pétrole, la gueule juste devant les ailes, alourdie par le moteur dans le menton, les petits ailerons arrière – et le poste de pilotage sur la crête dorsale de l'appareil.

10

Tour du monde horaire

Anita avait décollé.

En bas, on apercevait une pénombre violette d'où se dégageaient quelques feux de camp et l'ombre des immeubles servant de muraille colossale contre les animaux. Elle plissa les paupières. Une lumière, une fumée.

L'autre Rafale, qui la suivait.

Anita crut défaillir. Elle se concentra sur la maîtrise de l'appareil, dans l'obscurité. C'était un avion civil démodé mais remis au goût du jour, à l'autonomie presque illimitée, grâce à un bricoleur de génie qui l'avait légué au musée de Hong Kong. Les manuels affirmaient sans rire qu'on pouvait faire le tour de la planète sans s'arrêter. Elle se dirigea vers le nord-ouest.

L'autre avion restait à distance. Bien curieuse de savoir ce qu'il lui voulait. Partir avec elle ou la ramener ?

Elle jeta un coup d'œil vers l'arrière : était-ce vraiment lui, d'ailleurs ? Qui d'autre saurait piloter une telle machine ?

Anita frissonna.

Elle vit le jour se lever sur le Caucase. Bouche bée devant la Terre qui se courbait à ses pieds. Plus haut que les montagnes, le bleu des rivières dans le vert des prairies, les villes, les routes et les véhicules immobiles, les animaux en meutes erratiques.

L'autre avion demeurait dans sa ligne de mire. Elle ne ressentait plus aucune peur. En vol, il n'aurait aucune chance de l'intercepter et devrait attendre l'atterrissage.

L'Espagne vint avec le soir. Finalement l'Estrémadure et la fin des terres, l'océan. Elle retrouva le complexe industriel inchangé.

Le Puits.

Frôlant à basse altitude les boomerangs, elle retrouva le col ourlé du Puits, les bâtiments adjacents et la margelle, sur laquelle elle entreprit d'atterrir. La théorie ne résistait pas à l'agencement complexe des opérations à réaliser simultanément. Anita se protégea le visage. Les ailes de l'avion touchèrent la piste et l'engin s'écrasa sur la bordure extérieure du Puits.

Juste quelques hématomes. Cockpit blindé. Regard vers l'arrière. L'autre avion se posait, sans accident.

Panique. Après s'être extraite de l'engin, elle courut sans réfléchir vers la tourelle.

Alors apparurent les singes. Une dizaine de gibbons. En robe et en blouson, les cheveux au vent, elle bascula sous les assauts de la horde de primates. Mais, à dix mètres de là, le Baron cria : « Pas un geste… Détourner leur attention… Ne pas bouger… Précieuse… »

En habit rouge rubis, le Baron entama le plus mystérieux manège. Bras roulés sous les aisselles, jambes arquées, il commença à sauter sur place. Petits cris, visage méconnaissable, il ondula du cou et montra les dents, la tête en arrière. Il faisait le singe. Ce qui mit les gibbons dans une colère folle. Ils hurlèrent plus fort que lui, qui hurla plus fort encore.

Le Baron se défendit quelques minutes, mais ils le submergèrent.

Elle n'avait pas le choix. Anita courut vers l'ascenseur de la tourelle et s'enferma dedans. Les singes la poursuivirent. Elle enclencha l'ascenseur et le monte-charge.

Et laissa échapper un cri de surprise.

Les singes. Ils étaient entrés dans le monte-charge voisin. Ils l'accompagneraient donc jusqu'au fond. Leurs grognements prirent une tonalité anormale, transformée. Elle s'allongea contre la paroi, à la lueur du fluor, et tenta d'oublier. Une piqûre de Relax l'aiderait.

Après six jours de descente crispante, station après station, assise ou allongée le plus loin possible de la paroi adjacente à celle du monte-charge, Anita se prépara à l'arrivée. Il faudrait sortir plus vite que les singes. Elle avait son plan : se réfugier dans le dernier des abris. La galerie de la Vis. Le centre de la Terre.

Six jours d'enfermement, sans trouver de nourriture, les avaient rendus fous de rage. Leurs hurlements hachaient menu la respiration sourde des entrailles de la planète. Dès que les portes s'entrouvrirent, ils se jetèrent à la poursuite d'Anita. Elle s'était préparée à une course d'environ deux cents mètres, afin de rejoindre dans le noir la galerie de la quatrième tourelle – celle de l'équipe Murcia. Les singes sautèrent en rythme, se rapprochèrent rapidement. Elle avait du souffle, mais ils bondissaient derrière elle comme des machines de cauchemar montées sur ressorts. Elle s'engouffra dans la petite galerie, plongea dans la colonne creusée autour de sa silhouette par la cuillère automatique.

Elle sentit vibrer la Vis entre ses cuisses.

Un singe attrapa ses cheveux qui flottaient, mais elle avait eu le temps de réfléchir. D'un coup sec, elle tourna la Vis de gauche à droite, par le bas. Elle remonterait le monde à l'endroit.

Grand silence. Anita eut le temps de se sentir perdre connaissance, un souffle de primate sur la joue. Avec délectation, elle se demanda ce qu'il y aurait après ça.

Elle attendait de voir.

11

Avec le Tête-en-bas

En ouvrant les yeux, Anita comprit d'emblée ce qui avait changé et ce qui était demeuré identique.

Comme la fois précédente, elle se trouvait à la surface, et l'horizon était désert. Mais dans le cas présent, elle n'avait pas été projetée à l'autre bout du globe, en Amérique latine ; Anita était restée en Estrémadure, à quelques kilomètres du Puits, quand bien même le complexe industriel, les routes et les voitures avaient disparu. Reprenant ses esprits, elle mit de l'ordre dans sa chevelure épaisse comme celle de la Méduse, rousse et salée par le vent marin.

Elle se retourna.

Le Puits, en place. Mais pas le pont. Aucune trace de singes hurleurs. Elle eut le pressentiment qu'il n'existait plus d'animaux sur Terre à l'exception d'elle-même, que le processus apparemment irrationnel de la Vis menait à la disparition organisée de plus en plus d'êtres vivants. Elle était toute seule. Mais elle se trompait. La certitude de l'existence d'un autre qu'elle s'imposa à son esprit avant même que la main ne se posât sur son épaule.

Elle cria.

Quelqu'un derrière elle. Oh, curieuse comme elle était, comment décrire le plaisir mêlé de crainte qui la traversa comme une flèche, le temps de se dégager et de découvrir… de qui il s'agissait.

Ce n'était pas le Baron. Il avait un menton bien dessiné. Un tout jeune homme au visage angélique et rendu duveteux par la lumière qui l'auréolait. De magnifiques cheveux noirs de jais. Il sembla plus gêné qu'elle.

« Pardon. Réveillé en contrebas, dans le fossé… Désolé de vous avoir effrayée. M'appelle Eliedo.

– C'est toi qui étais de l'autre côté de la Vis, pas vrai… ? »

Eliedo était le Tête-en-bas qu'elle attendait. Il s'était retrouvé en Australie après le premier événement. Avait fait le voyage seul jusqu'au Puits. Sans rencontrer un seul survivant dans le Pacifique. Redescendu pour se protéger des bêtes sauvages, non sans avoir condamné tous les accès. Le Puits, c'était son élément, ça ne l'ennuyait guère de s'y cloîtrer jusqu'à la fin des temps. Avait passé du temps tout au fond, à tenter d'étudier la Vis. N'avait jamais osé la tourner – ni dans un sens ni dans l'autre. Avait essayé d'analyser le métal dont elle était faite, mais n'était pas un scientifique. Pas de résultats. Et puis avait entendu du bruit de l'autre côté, les cris des singes. Avait vu devant lui la Vis tourner, dans quel sens ?, n'en savait rien, et puis une absence. Réveillé dans le fossé.

Anita le taquina. « Tu as passé des mois à regarder la Vis… Sans y toucher. »

Il rougit. « Toi, tu l'as tournée comme ça ? »

Elle claqua des doigts. « J'étais curieuse, voilà tout. »

Ses cheveux étaient sans doute décoiffés, ce qui l'inquiéta – mais ce n'est qu'après quelques minutes qu'elle s'aperçut qu'elle était nue, tout comme lui. Se grattant l'oreille, elle creusa les fesses, le ventre vers l'avant, puis croisa le plus naturellement possible les bras devant sa poitrine. Il demeura les bras ballants. « La première fois, c'était aussi toi, de l'autre côté ? »

Elle se baissa, s'agenouilla, de manière à cacher son sexe entre ses cuisses, au creux de son ventre, derrière ses bras croisés. Il s'assit près d'elle sur l'herbe verdoyante.

« Ouais. »

Elle riait. « Tu sais que la Compagnie avait prévu qu'on tombe amoureux au premier regard.

– Ah. C'est marrant. » Puis il se tut.

C'est Anita qui lui expliqua la situation. Plus d'hommes, plus d'animaux. Pas de vêtements. Le froid, le chaud. Prudemment, ils remontèrent la rivière, apprirent à connaître les racines, les fruits, les herbes. Ni villes ni voitures. Ciel, arbres, les eaux et les terres.

Une fois passé les Pyrénées, ils ne surent plus les noms des plaines, des monts. Oublièrent que l'environnement avait été découpé en pays, régions, agglomérations. S'engagèrent dans des gorges étroites, le long des cours d'eau, afin de ne manquer ni de quoi boire ni de quoi se déplacer. Dormaient sur les tapis d'herbes folles, marchaient, vieillissaient et parlaient.

Naturellement, ils firent l'amour – entre autres activités. Dormir la nuit, manger, se baigner, faire la sieste, marcher, manger et dormir de nouveau. Aucune grossesse. De toute façon, ils avaient décidé d'un commun accord de tuer l'enfant s'il en venait un. La reproduction n'avait pas de sens. L'enfant n'aurait que le père, la mère ou d'éventuels frères et sœurs pour perpétuer sa lignée. Mieux valait accepter d'être les derniers.

Eliedo se contenta avec le plus parfait bonheur de cet état de fait : torse sous le vent, écorce des fruits, variations régulières de la lumière, silence et fraîcheur de l'eau. Et il embrassait Anita.

Frustrée.

Elle acceptait de se baigner, de dormir, de caresser le tronc des arbres et d'ouvrir la bouche au jus des agrumes et des baies. Mais elle pensait à autre chose. Sa conscience la piquait. Alors qu'Eliedo s'était épanché à la surface de son être, Anita s'était retirée au fond d'elle-même. Fréquemment, lorsque la nuit était tombée, pendant qu'Eliedo s'endormait satisfait dans ses bras, Anita pensait que le Puits était la dernière des profondeurs, dans une réalité plate. Certes, elle adorait être heureuse, sentir l'eau filer sur son corps, ses seins affermis par l'air pur, ses cheveux de plus en plus longs, de plus en plus bouclés. Elle appréciait l'amour que lui portait Eliedo. Mais il aurait été inconcevable de se laisser aller à oublier, de mourir ainsi, sans jamais *savoir*.

Après l'amour, une nuit d'été, elle se dégagea de l'étreinte approximative de ses bras, calcula à partir de la position des étoiles leur localisation et partit nue, en courant à petits pas, vers le sud-ouest.

À des kilomètres, elle entendit résonner le cri d'Eliedo lorsqu'il comprit qu'elle l'avait abandonné. La Nature était muette et le hurlement la traversa sans résistance, jusqu'à faire frissonner Anita, pressant immédiatement le pas. Pris d'une rage incontrôlable, Eliedo s'arracha la main gauche à coups de silex et cette amputation lui permit de se rappeler – non pas avec l'esprit, mais par le corps – ce qui lui avait fait défaut, la trahison et la perte. Il redevint sauvage, perdit le langage.

Et partit à sa recherche.

12
Encore un tour de Vis

Eliedo la pista à la façon d'une bête sauvage.

Au creux de sa colonne vertébrale, Anita sentit couler une forme inédite d'excitation, au point de retrouver un instant l'envie de faire l'amour avec lui.

Effaçant ses traces derrière elle, à reculons dans la boue

des rivières, elle avançait la nuit et ne dormait que d'un œil la journée. Cent fois, elle pensa l'avoir semé. Il apparut et réapparut inlassablement au sommet des crêtes, à l'horizon, face au soleil.

Jamais il ne lâcha prise, jamais il ne s'approcha suffisamment d'elle pour espérer l'attraper. Comme une ombre orpheline de son corps.

Bientôt, elle atteignit l'Estrémadure, et un matin le Puits inchangé parut devant elle, à contre-jour. Eliedo la suivait à deux kilomètres de distance. Reprenant sa respiration, sans cesser de regarder la margelle au loin, elle jaillit d'entre les rochers, vive et souple comme un chat.

Il courut à son tour, poussant d'horribles cris carnassiers.

Elle plongea dans la mer, nagea droit devant elle.

Trempée, les cheveux plaqués jusqu'au creux de ses reins, les seins contre le métal chauffé par le soleil d'été, elle s'accrocha à l'échelle de secours de la troisième tourelle et grimpa grâce à des gestes sûrs et précis des mains et des pieds. À bout de souffle, elle aperçut entre ses jambes arquées, d'un coup d'œil furtif vers le bas, au niveau de son sexe, Eliedo qui grimpait aussi.

Débarquant sur la plate-forme, elle courut vers l'ascenseur en grimaçant et ses gestes se firent désordonnés. Le temps de voir les portes du quart de cercle se refermer sur la main droite d'Eliedo et la sectionner, elle s'écroula contre la paroi. Il gémit comme un petit animal à l'agonie. Ne supportant plus la présence de la main encore chaude et qui remuait sous le coup des vibrations de l'ascenseur,

Anita flanqua un coup de pied dans cet avorton, cette parodie de membre humain ensanglanté, cette main droite qui l'avait si souvent caressée.

Puis elle entendit l'ascenseur de la deuxième tourelle amorcer sa descente. Anita possédait d'après ses calculs une vingtaine de secondes d'avance sur son vis-à-vis. Mais il connaissait le fond aussi bien qu'elle. Retrouvant son souffle, elle apprécia l'obscurité familière du quart de cercle, à peine troublée par le fluor qui faiblissait. On percevait régulièrement les cris qui n'avaient plus rien d'humain. Dans les casiers, plus de piqûre de Relax.

Durant six longues journées, sans manger, elle attendit, plongeant vers les entrailles de la Terre.

Au moment de parvenir au fond, l'estomac soulevé par la respiration qui battait contre les parois, Anita s'agenouilla ; elle eut une pensée pour le Baron, une autre pour Eliedo et une dernière pour Manolo. D'ici quelques secondes, elle saurait. Anita se demanda…

C'était parti.

Elle avait noué ses longs cheveux et, lorsque la porte s'ouvrit, elle lâcha sa foulée comme un arc laisse filer une flèche ; Eliedo partit en retard et ne la rattrapa pas.

Inspirer, expirer.

Plus que cent mètres.

La douleur, des moignons mal cicatrisés, la gangrène probablement, le désavantageaient. Mais Anita prêta trop d'attention à son poursuivant, et à l'entrée de la galerie il eut l'occasion inespérée de sauter à ses pieds, qu'il enserra entre ses bras sans mains. Il la mordit, elle hurla.

Empêchée, blessée, elle tendit difficilement la poigne vers les profondeurs et, dans un râle de délivrance, toucha la Vis – que, dans un réflexe, au moment même où il lui entamait profondément le mollet, elle tourna d'une main par le bas, de la droite vers la gauche. Ou peut-être l'inverse.

Il rendit l'âme dans un soupir.

Tout était calme. Le silence, encore une fois. Et elle se demanda…

Elle avait hâte d'ouvrir les yeux.

On peut dire qu'elle ne fut pas déçue. D'abord le tissu sur sa peau nue, et elle comprit qu'elle avait retrouvé ses habits. La peau trop fine de ses paupières se plissa – elle fit le point sur sa vision.

Anita se trouvait sur la plate-forme métallique de l'une des tourelles du Puits. Il n'y avait plus de surface. Tout semblait sombre et basaltique, mais aussi rougeoyant, en fusion, chaotique, imprévisible et dénué de toute forme. Un champ céréalier infini retourné, une jachère de feu. Il lui vint à l'esprit que la Terre était littéralement sens dessus dessous. Le manteau de la Terre retourné, dehors dedans. Noyau en surface, surface au centre.

Seul subsistait le Puits. Tout autour, une mer orageuse, volcanique, aux couleurs incendiaires, sans règle, empâtant l'horizon grisâtre d'un malaxage incessant de gaz, de fer et de nickel. Quel spectacle !

Au bout d'une semaine, coincée sur la plate-forme d'observation, condamnée à se contenter des provisions entassées dans le poste le plus proche, protégeant sa peau des radiations avec une combinaison en plomb, elle s'en lassa.

Eliedo n'était plus là.

Les tours de Vis obéissaient-ils à quelque logique secrète, manifestaient-ils la révélation progressive d'un ordre caché ? Avait-elle remonté l'histoire de la Terre comme une montre et retourné l'espace comme un gant ? Ou bien tout cela revenait-il à lancer chaque fois un dé au nombre de faces infini ?

Il n'y avait qu'un moyen de le savoir.

Elle ajusta le scratch de ses gants de crampe et en vérifia la sécurité. Elle portait l'uniforme vert et jaune des ouvriers du grand chantier. Le rayonnement du paysage infernal dansait sur la visière de son heaume et, en plissant les paupières, Anita scruta le fond de l'immense océan de feu.

Elle s'étira.

Ses cheveux, sous la combinaison, étaient alourdis par la poussière et la sueur.

Il était temps de plonger. Anita décolla ses lourdes bottes noires en caoutchouc à demi fondu de la grille métallique, aux abords immédiats de la margelle. Elle ouvrit la porte de l'ascenseur de la première tourelle et, lorsque les battants se refermèrent derrière son dos, à l'instant où résonna le signal qui indiquait le début de la longue descente vers le fond, elle se demanda avec délectation ce qui allait se passer. Comment le prévoir ?

Elle était impatiente de voir ça.

Ennuyée par l'Éternité de Browser, seule dans sa masure au beau milieu de la forêt, tel était le rêve que faisait et refaisait Anita et qu'elle se racontait à mesure qu'elle tricotait les cordelettes de sa Console, tout en sifflotant un air d'autrefois.

VIV ET LES FANTÔMES

1

Le bonheur

Comme un tableau de Hockney, avec des sandales marron au bord d'une piscine turquoise.

À part elle, il n'y avait personne.

Une riche villa saupoudrée – à la façon d'un gâteau recouvert de copeaux de chocolat et de sucre glace – de galets d'ardoise et de bouquets de thym provençal importés. Sur les dalles rose saumon, les flaques scintillaient. Bacs à palmiers, escaliers blancs, qui rappelaient une île grecque – serviettes orange négligemment posées pour sécher sous un soleil d'Italie. La fraîcheur, comme pour s'économiser, se divisait entre l'ombre et l'eau. La femme à la peau aussi lisse que la surface du bassin bleu translucide se tenait assise sur la chaise longue, un pan de tissu rayé de vert et de blanc. Lunettes noires.

Elle vérifia qu'il n'y avait sur sa cuisse pas la moindre

trace de cellulite, mais cela faisait des centaines d'années que son corps ressemblait à celui d'une starlette. Alors elle sirota un cocktail dont elle ne parvenait à oublier ni le nom ni – malheureusement – la composition chimique exacte. À quoi s'abandonner ? De la piscine elle connaissait tous les reflets, la géométrie des lignes, la mécanique des fluides. Aucun éclat impromptu du bassin ne la surprendrait plus : elle les avait tous vus et revus. Soupir, ongles incarnats. Elle ouvrit d'une main négligente la Console de bambous à sa droite. Maîtresse exercée de ses mains de jeune fille, elle caressa, noua et dénoua les cordelettes.

Kimberly bronze à côté d'elle, comme avant. Elles discutent.

« Comment ça s'est passé avec Michael ?

– Oh, tu sais, toujours charmant.

– Oui. Vous êtes partis tard ? Je n'ai pas eu le temps de te dire au revoir.

– Non. J'avais sommeil.

– Tu es rentrée seule ? Tu avais la voiture ?

– Non, c'était Michael.

– Tu veux dire que tu es rentrée avec Michael ?

– Oui.

– C'est génial, ma chérie. Vous avez pu faire l'amour ? »

Elle délia deux nœuds. Renoua deux chaînes causales.

« Ça m'a fait plaisir. Je te remercie, Kimberly.

– Ce n'est rien, je tiens tellement à toi. Tu peux compter sur moi. Je suis ta meilleure amie, Viv. »

Viv raccompagne Kimberly au portail en fer forgé de la

villa. Derrière les lacets d'asphalte, la mer. Il fait un temps superbe.

Elle trouva qu'un nuage serait de bon ton au-dessus de la piscine, parce qu'elle se sentait mélancolique, ce matin. Elle se contrefoutait de Michael. Elle avait passé l'âge d'être amoureuse ou de se trouver à la merci de ses hormones. Viv esquissa un rictus devant l'éternelle piscine qui la défiait, calme et profonde, toujours calme et profonde. Elles étaient jeunes, à l'époque, avec Kimberly. Leur langage lui paraissait aujourd'hui risible, calqué sur les dialogues d'un feuilleton télévisé, probablement.

Viv s'empara de la Console de bambous customisée sous un bras, comme son petit chien adoré d'il y a bien longtemps. Elle ne se faisait aucune illusion. Il était question de cohabiter pacifiquement avec le passé, et d'un point de vue diplomatique le présent était devenu une puissance négligeable ; dans les incessantes négociations du temps, le passé prenait toujours le dessus. Et cela faisait un bon moment qu'on avait cessé de lutter.

Viv se dirigea vers la pièce de jour.

Elle s'apprêtait à convoquer une fois de plus les fantômes. Une fois éteint celui de Kimberly, restait à en allumer quelques autres. Et puis vaquer de l'un à l'autre, comme elle passait de la piscine à la chambre, et de la chambre au salon, sous les porches d'une mémoire pétrifiée, par les halls de souvenirs successivement noirs de monde et déserts, à travers les atriums de l'Éternité. Le monde n'était plus qu'un vaste manoir hanté, une villa de mannequins du passé, de fantômes qui sortaient de la

Console et qui y retournaient sous les doigts sans âge de Viv.

2

Un souvenir de famille

L'après-midi, comme dans une vieille photo du magazine *Time*.

Sur la moquette beige de la grand-mère et du grand-père de Viv, entre quelques jouets et des journaux de santé, car grand-père est médecin, Viv et sa cousine Anna se disputent. Viv a huit ans, Anna en a sept.

« Anna, donne-moi ça…

– Mais… Viv, t'en as déjà un…

– Donne-le-moi, t'as qu'à t'en acheter un…

– Pourquoi t'es méchante ? Grame, viens voir… »

Viv tire violemment les cheveux de la petite Anna, qui hurle. Brune, elle porte les cheveux courts et les vêtements d'un grand frère. Viv est blonde, en robe bleu clair.

La « grame » – c'est le surnom de grand-mère – débarque dans le salon, grande, grise et douce. Elle contemple les deux gamines, à l'ombre de la plante verte et des rideaux qui cachent le double vitrage de la pièce cossue, parfumée à la cannelle.

« Qu'est-ce qu'il y a encore, les filles ? Allez, séparez-vous…

– C'est pas juste…

– Oh, Viv, ne dis pas ça…
– Et moi…
– Tu as fait tes devoirs, Anna ?
– Oui, mais c'est Viv… »

La grame sourit. Elle caresse la tête de Viv et, parce que ses bras sont longs, elle caresse aussi Anna à l'autre extrémité du canapé.

« Viv, je suis sûre que tu vas accepter de lui prêter, si elle promet de te le rendre à la fin de la journée.
– Je veux pas, c'est à moi.
– T'as rien fait avec !
– Stop. On arrête, les filles. »

Plus tard dans la soirée, sous les lampes halogènes, le grampe veille en finissant ses mots croisés. Il s'endort. Les filles rient. Il sourit.

« Je vais dans le bureau. Vos parents ne vont pas tarder. »

Viv ordonne à Anna de faire le chien.

« Je vais te monter dessus.
– Mais… On monte pas sur les chiens…
– Fais ce que je dis.
– Lâche-moi… »

En se dégageant, Anna frappe du coude le fauteuil couvert d'un napperon. Un bruit. Les lunettes du grampe.

Qui revient.

« C'est Viv, grampe, elle m'a poussée, elle a cassé…
– Menteuse… Tu mens !
– Oh, mes lunettes. Mes lunettes, les filles… »

La sonnette retentit. Parce que c'est l'hiver, on sent encore le courant d'air frais. Sans doute a-t-il déjà neigé.

Carol, la mère de Viv, entre, les bras chargés de sacs de courses. Elle claque la bise à ses parents.

« Brr, un froid glacial… Salut, Anna. Alors, Viv a été sage ? »

Le grampe prend Viv dans les bras. Le contact rugueux de sa chemise à carreaux, en coton, et les lourdes moustaches qui retiennent un peu de nourriture, parfois. Viv n'aime pas ça.

« Comme une image.

– Et Anna également.

– Deux anges. »

Carol fouille dans les sacs de papier à l'effigie de marques de luxe d'antan : le bruit du carton froissé. « Un cadeau pour chacune. Tiens, Anna, une peluche pour toi. Viv, la poupée que tu as vue dans le magazine… »

Sonnette, courant d'air. Janet : la sœur de Carol, la mère d'Anna. Une voix grave, de fumeuse.

« Je te fais pas la bise, je sors juste de l'hôpital, pas pu me laver… Salut papa, maman. Pfou… Avec ce climat de fin du monde, hein, en ce moment… Alors Viv, comment ça va, ma grande ?

– Carol, ton manteau ? »

Fourrure.

« Non, Charles nous attend à la maison…

– Qu'est-ce que c'est cette peluche, Anna ?

– C'est tante Carol… »

La tête dans la capuche, le temps d'enfiler le chaperon. Chaleur.

« Oh, j'espère que tu as dit merci, elle est très jolie…

– C'est rien… Emplettes pour le réveillon… Et son père ? Trouvé du boulot ? »

Le parquet, puis le carrelage de l'entrée. Losange orange.

« Peut-être. Il va mieux. »

Claque la langue de la grame : « Quel malheur, hein… Tous les efforts qu'il a faits… »

Le silence. Losange orange sur le sol.

« Tu as tout, Viv ?

– Oui. »

Sol orange.

« Au revoir à Anna ? Janet, je te fais pas la bise… On vous ramène ?

– Oh, on va rester un peu…

– Bien sûr, ma chérie. On va vous faire un petit quelque chose.

– Allez, rentrez bien toutes les deux, et le bonjour à… »

… Range. Porte refermée, le froid, le jardin, les arbres noirs. Dans la neige, aux portes de la demeure des grands-parents, Viv s'évapore, main dans la main de sa mère pressée, où sont les clefs de la voiture ? Les clefs de la…

Piscine. Les fantômes s'éteignirent, tels les réverbères des vieilles villes au petit matin, à la fin de la nuit. Viv défit le dernier nœud au fond de la boîte de bambous.

Tel qu'avant, tout avait été présent et tout redevint absent.

3

La beauté éternelle

Viv était à la retraite, elle vivait parmi les fantômes. Tout ce qui avait été pouvait apparaître à nouveau, dans les moindres détails, mais rien de plus n'adviendrait. C'était comme ça.

Elle faisait à peine trente ans, mais les couches successives de ses absences de rides incitaient à une effrayante archéologie. Qui le remarquerait, de toute façon ? Les Fantômes qu'elle regardait ne la voyaient pas.

Après avoir enfilé une robe de soirée, Viv se servit un cocktail très coloré. La solitude ne l'avait jamais intéressée. Elle aurait voulu des mains d'aujourd'hui sur son corps d'aujourd'hui – n'importe comment, n'importe qui. Qu'on la regardât, qu'on s'occupât d'elle. Allez, sèche tes larmes.

Le coucher de soleil style Riviera est magnifique, prévisible au millième de seconde près, comme un 12 janvier.

En compagnie duquel de ses souvenirs passerait-elle la nuit ? Beaucoup d'hommes. Le choix était large, les Fantômes lui tendaient les bras. Il y avait Michael, bien sûr, il y avait le professeur marié, il y avait le premier époux, il y avait le dernier, le fidèle, les amants… Elle aurait pu n'avoir qu'un grand amour pour toute sa vie, et le retrouver la nuit venue. Ce qui n'aurait rien changé au problème.

Elle se jeta un œil noir dans le miroir. Viv était belle – pour une image. Toute sa force, elle l'avait concentrée dans la fixité. De longs cheveux blonds soyeux en cascades californiennes. Visage large et offensif, voix douce au rire cinglant. Pull angora rose sur sa robe décolletée, longues jambes musclées qui s'échappaient le temps qu'on les remonte, qu'on les redescende. Et les fesses fermes, que Viv tâta avec ses mains manucurées, sculptées de veines quasi minérales avec l'Éternité, des mains de très vieille demoiselle. La peau d'ambre, de bronze. Un halo duveteux, nul besoin de bijoux. Viv trembla et pleura : s'il n'y avait jamais qu'un homme, un seul, il la désirerait, il flamberait, se consumerait de désir pour elle, d'un regard. Elle était faite pour être célébrée – et les hommes avaient déserté. Maudit Browser. Allez, sèche tes larmes.

Elle n'irait pas chercher le fantôme d'un homme, ce soir.

Mangea quelques tomates confites dans un rocking-chair d'osier. Ne travaillait pas. Plus besoin de compagnie d'assurances, aujourd'hui. Plus besoin de rien. Le monde s'était arrêté.

Remontant le bas de sa robe, Viv joua avec ses orteils – un dessus, un dessous. Elle s'entretenait, faisait du sport à échelle microscopique. Fronça les sourcils : ses pieds avaient gonflé, comme des outres. Temps de s'en occuper : elle prenait de l'âge, même si le temps ne passait plus.

Les mains dans la Console, Viv retrouva son salon particulier, manipula les cordelettes, combla les ridules, restaura le collagène, régénéra l'élastine, noua pour hydrater, dénoua pour lutter contre les radicaux libres et renoua pour stimuler la croissance cellulaire. Au début, personne ne savait se servir des Consoles de l'Éternité, et il était assez amusant de tâtonner chacun de son côté. À présent, Viv connaissait la connexion, le câblage correspondant à la moindre partie de son corps. D'une boucle, Viv donna une touche olivâtre, à l'espagnole, à son teint. De menus détails sur le visage, traitement régulier de la poitrine, dénoua les cordes du cancer, raffermit les cuisses à l'angle droit de la Console, à l'aveugle – les mains dans le paquet comme sur le clavier d'un piano.

Petite coquette. Plus personne ne te regarde. Tu as séduit autant que possible.

Viv serra les dents, rageuse.

Pas une raison pour se laisser aller. Même s'ils ne la voyaient pas. Elle voulait plaire aux Fantômes, elle voulait charmer le passé. Petite fille trépignant de rage, elle cria, se roula sur le lit bleu dans lequel elle dormait seule. Elle en avait connu, comme ce vieux Dreamer dans l'arrière-pays, qui n'avaient jamais retouché leur corps. Décrépitude physique. Viv frissonna, ne voulait pas même y penser. S'entretenir. Mais pour qui ?

Viv resta prostrée sur la couche.

Délivrés de la mort, libérés du temps depuis que Browser nous avait envoyé ces cadeaux empoisonnés sur Terre : une Console pour chacun et le Placard pour tout le monde. Alors Viv se saoulait la gueule. L'alcool n'avait aucune conséquence : elle ressuscitait les cuites de jadis avant de retrouver la sobriété du jour d'après. Atlantic City, un 20 février. Pasadena, 17 mars. Le premier divorce. Cet homme de passage, la nuit du 28 juin. Après le conseil d'administration des assurances. Voyage en Chine.

Champs-Élysées, vomir comme un 16 juillet. Une fois, deux fois, mille fois.

Éclate en sanglots comme un matin du printemps, à trente et un ans. Replie la jupe sur ses genoux. Pas envie d'un corps érotique ce soir. N'avait abouti à rien, pas d'amour, pas d'enfant, pas de passé – des fantômes. Des instants heureux, comme autant d'atomes d'intensité, mais dont la combinaison ne formait aucun corps étendu et durable. Un vaisseau fantôme dans les eaux stagnantes d'une vie qui ne finirait jamais.

Elle eut soudain besoin de ses grands-parents.

Redevenir leur petite fille. C'est de cet amour-là qu'elle voulait, la nuit. Verre de vodka sans glaçons du 4 août, assise à même le parquet, queue-de-cheval, rouvre la Console de bambous. Qu'ils la voient, la réconfortent, la protègent et l'entraînent loin d'ici, de partout, tout le temps. Qu'ils l'aiment pour rien, comme la promesse qu'elle avait été.

Viv les ralluma.

4

L'histoire de la fin

Un souvenir douloureux.

Le grampe et la grame sont assis à la grande table du salon. On boit le café dans l'obscurité. Viv est venue les voir. A fini ses études. Décroché son diplôme en école de commerce. Son nom sur un papier officiel, que les grands-parents ont exposé dans la vitrine du salon, au-dessous d'un tableau danois du XIXe siècle – d'un certain Ancher, précise le petit carton glissé près du cadre, sur lequel glisse un instant seulement le regard ennuyé de Viv. L'image d'un baptême. Elle ne regarde pas le tableau lui-même ; depuis son plus jeune âge, il a toujours été là, Viv ne le connaît que trop, n'y prête donc aucune attention. Cheveux lâchés sur les épaules, Viv détaille son plan de carrière, compte s'installer avec Michael. Elle viendra le leur présenter. Ils acquiescent, contents pour elle.

« Maman nous a trouvé un appart là-bas, Michael est à côté. »

Tourne sa bague.

« Vous ai apporté un petit quelque chose…

– Oh, il ne fallait pas, Viv…

– Non, ça me fait plaisir. »

Sonnerie.

« C'est Anna ! »

Elle porte une coupe au carré, un anorak et les fesses trop larges. Bise.

« Salut Viv, suis juste passée pour voir si tu étais encore là. Tu vas bien ? »

La grame sourit, l'embrasse et au son du baiser elle sait qu'ils préfèrent sa cousine. Qu'ils l'aiment plus et mieux qu'elle. Souffle.

« Au fait, tant que j'y pense, grame, je t'ai apporté quelques graines de ce qu'ils conseillaient à la radio, pour les gencives.

– Merci, ma chérie, c'est gentil de penser à ça. »

Cadeau oublié, Viv debout près du canapé, dos au tableau.

« Et ce garçon ?

– On est ensemble depuis hier, oui…

– Oh, ma petite-fille ! Je suis si contente pour toi… Tu vois ce que je te disais, le grampe, j'avais deviné, hein ? »

Viv serre les dents, dit sèchement : « Bon, je vous laisse entre vous. Apparemment, vous avez beaucoup de choses à vous dire. J'ai pas envie de me faire chier plus longtemps pour des gens qui ont le même sang que moi, mais visiblement pas le même cerveau. Je suis pas sûre qu'on se reverra. »

Sol orange, losange – la porte claquée, et la voiture démarre avant qu'Anna ne la rejoigne, en courant sous le grand porche. Des arbres noirs.

Le lendemain, Viv emménageait dans un autre pays avec Michael. Kimberly aussi, dans la même entreprise. Elle pensait à dix mille choses à la fois. Des amis. Sortait le soir, montait dans la hiérarchie, oh, la belle vie. N'avait jamais décroché lorsque le numéro d'Anna s'affichait sur le téléphone portable. Quatre ou cinq lettres, pas ouvertes. Carol, la mère de Viv, voyagea – et ne lui apprit qu'au bout de six mois les funérailles du grampe et de la grame. Décédés à trois semaines d'intervalle, une année de grand froid, transports bloqués. Est-ce que Viv avait pleuré ? Oublié. Elle venait de quitter Michael. Rencontra son premier mari. Et Anna mourut dans un accident de la circulation.

Puis tout avait changé.

Aux derniers feux de la trentaine de Viv, l'Expansion

s'était arrêtée. Croissance en berne, hiver et dépression universels. Les borneurs aux quatre coins de l'univers, les militaires – planètes, colonies fermées. Quand Viv eut cinquante ans, alors que le temps avait considérablement ralenti, qu'on s'enlisait sur Terre, on reçut les colis de Browser. Ceux qui étaient partis en pèlerinage au Chalet avaient pris possession de leur Console et chacun avait appris à en faire bon usage, à sa façon. Les autres avaient disparu. Comme à la nuit du monde des réverbères s'allumèrent : les fantômes. Incertains d'abord, clignotants. Mais bientôt il n'y eut plus qu'eux.

Tout ce qui avait eu lieu à ses yeux revenait fidèlement à ses yeux – et rien de plus. Viv ne pouvait faire revenir à la vie ce qu'elle n'avait pas vu, ce à quoi elle n'avait jamais pris garde. On ne sortait du meuble que ce qu'on y avait mis. Et lustrant sa Console de bambous, elle avait compris qu'avoir des regrets, c'était réaliser que le passé n'avait pas d'avenir.

5
Insomnie

Viv essaya de s'endormir.

Si son visage était redevenu celui de ses trente ans, elle savait qu'elle n'était plus cette femme-là. Seule sous des draps bleu marine, la fenêtre ouverte sur l'air du soir. Viv avait expérimenté les choses et les hommes, elle était sage à présent, il n'y avait personne pour la dire meilleure ni pire; pourtant elle savait sans aucun doute possible qu'elle n'aurait plus agi aujourd'hui comme jadis.

Viv se sentait l'âme d'une femme aimante, attentive et subtile – tout ce qu'elle n'avait pas été. Mais qui lui dirait? Qui pourrait lui confirmer qu'elle avait changé? De grands yeux noyés dans le vide. Elle aurait aimé être adolescente sous ces draps, dans cette peau. Ou bien être vieille et sage. Mais quel livre lire? Tous déjà lus et relus. Elle regarda la lune. Se frotta une corne légère sous les coudes; elle avait froid et personne ne la prit dans les bras. Fenêtres refermées. Une pièce triste. Elle se sentait tellement bonne et bonne à rien.

Viv ne parvint pas à dormir comme un 1er juillet.

Elle ralluma sa lampe de chevet, se regarda dans le reflet du miroir, au mur. Elle était pourtant jolie, pas seulement belle, comme elle l'était à trente ans. Dans la beauté, il y a quelque chose de tragique, dans la joliesse, quelque chose de triste et de mélancolique. Elle avait à jamais l'âge où tout le monde l'aimait. Les yeux bleus calmes et profonds. Des traits vifs et souples, simples de loin, subtils dans le détail. Et ses cheveux… Tout l'or du monde, disait son amant, un week-end d'octobre.

Qu'est-ce qui n'allait pas? De quoi Browser l'avait-il punie? Elle n'avait jamais qu'une Console entre les bras, une cascade de mèches blondes sur les épaules, une forme vague dans le miroir. Lorsqu'elle voyait les fantômes, il lui semblait toujours qu'elle s'endormait enfin; ils étaient les rêves qu'elle ne parvenait plus à faire. Mais elle était avec eux comme on est dans les songes, observateur dépossédé – maître impuissant. Elle fit tourner sa bague.

Le café dans l'obscurité. Viv est venue les voir. A fini ses études. Décroché son diplôme en école de commerce. Son nom sur un papier officiel. Les grands-parents l'ont exposé dans la vitrine du salon, au-dessous d'un tableau danois du XIXe siècle – d'un certain Ancher, précise le petit carton glissé près du cadre, sur lequel glisse un instant seulement le regard ennuyé de Viv. L'image d'un baptême. Elle ne regarde pas le tableau lui-même ; depuis son plus jeune âge, il a toujours été là, Viv ne le connaît que trop, n'y prête donc aucune attention. Cheveux lâchés sur les épaules, Viv détaille son plan de carrière, compte s'installer avec Michael. Elle viendra le leur présenter. Ils acquiescent, contents pour elle.

« Maman nous a trouvé un appart là-bas, Michael est à côté. »

Tourne sa bague. Avance rapide le long de la cordelette, comme en remontant rapidement le fil d'un chapelet, sans même le regarder.

« Et ce garçon ?

– On est ensemble depuis hier, oui…

– Oh, ma petite-fille ! Je suis si contente pour toi… Tu vois ce que je te disais, le grampe, j'avais deviné, hein ? »

Viv serre les dents, dit sèchement : « Bon, je vous laisse entre vous. Apparemment, vous avez beaucoup de choses à vous dire. J'ai pas envie de me faire chier plus longtemps pour des gens qui ont le même sang que moi, mais visiblement pas le même cerveau. Je suis pas sûre qu'on se reverra. »

Sol orange, losange – la porte claquée, et la voiture démarre avant qu'Anna la rejoigne, en courant sous le grand porche. Des arbres noirs.

6
Baptême

Abattue, Viv pleura sous son drap bleu chiffonné.

Le café dans l'obscurité. Viv est venue les voir. A fini ses études. Décroché son diplôme en école de commerce.

Le café. La nuit ne passait pas. C'était comme une longue maladie qui vous occupait jusqu'au petit matin. Ses cheveux s'effilochaient en torsades et son visage avait vieilli. Des rides blanches s'étaient creusées dans sa peau comme dans de la craie. Elle se laverait, elle se soignerait lorsque le soleil se lèvera comme un 2 juin. Au moins, elle aurait quelque chose à attendre, quelque chose à faire.

Le travail ! Ça lui paraissait l'avenir, alors. Et les grands-parents, c'était le passé – Anna aussi, désuète. À présent, le monde de Michael et de Kimberly lui paraissait plus ancien, archaïque, figé comme un tableau ancien, dont on aurait oublié jusqu'à la signification.

Le tableau dans le salon des grands-parents.

Dire qu'elle ne l'avait jamais observé, après vingt ans passés à jouer, boire le thé, discuter juste devant. Qu'est-ce que c'était ? Probablement qu'ils lui en avaient parlé, un jour – mais elle ne pouvait se souvenir d'aucun détail, d'aucune anecdote. Ce n'était qu'un tableau, une généralité de tableau, sans identité – rien à l'intérieur, un cadre avec des formes, des couleurs. Que représentait-il ? Figuratif, assurément. Le grampe aimait bien les peintres classiques – quelques ouvrages reliés dans sa chambre.

Elle chercha dans une couche superficielle de la Console.

Son diplôme en école de commerce. Son nom sur un papier officiel. Les grands-parents l'ont exposé dans la vitrine du salon, au-dessous d'un tableau danois du XIXe siècle – d'un certain Ancher, précise le petit carton glissé près du cadre, sur lequel glisse un instant seulement le regard ennuyé de Viv. L'image d'un baptême. Elle ne regarde pas le tableau lui-même ; depuis son plus jeune âge, il a toujours été là, Viv ne le connaît que trop, n'y prête donc aucune attention. Cheveux lâchés sur les épaules, Viv détaille son plan de carrière, compte s'installer avec Michael.

Elle essaya de se représenter le tableau, comme s'il était la clé de l'ensemble. Et Viv lui prêtait une importance d'autant plus grande qu'elle ne lui en avait accordé jusqu'à présent aucune. La Console sous le bras, elle monta les marches sous les étoiles. La propriété s'étalait, obscurcie. Viv traversa le salon, emprunta le petit escalier en pin vers la chambre lambrissée. Une fois la Console de bambous rouverte, elle fit du crochet, récupéra la bonne corde.

Elle était assise ; elle s'assoit.

Derrière le dos du grampe, on aperçoit une bibliothèque

vernie, beige; il dispose un papier cartonné à la hauteur de ses yeux, en remontant ses lunettes. Juste au-dessus, sur l'étage encombré de bibelots… Il semble y avoir un tableau. Mais elle bute contre les limites de son champ de vision et de sa mémoire comme un rat de laboratoire dans un labyrinthe sans porte de sortie. C'est tout ce qu'elle voit.

Puis, lentement, le grampe se tourne; il est voûté. Il a l'air malade, oui, elle ne l'avait jamais remarqué. Un tremblement contenu dans les mains. Elle ne le distingue pas très bien. Par les yeux du fantôme, on pouvait mieux voir ce qu'on avait mal vu. Mais tout ça pour rien, à la fin, parce qu'on ne pouvait pas tourner la tête après coup, si on ne l'avait fait à l'instant décisif. Et le tableau demeura hors champ.

Viv distinguait mieux la fatigue du grampe, mais elle n'arrivait pas à lui demander ce qui n'allait pas – faute d'avoir posé la question en temps et en heure. Il lui était loisible de situer le tableau dans l'espace – pas de le décrire, parce son regard ne s'y était jamais arrêté. Cette constatation mit Viv hors d'elle-même. Elle serra les poings, poussa un cri aigu et tapa du pied sur la Console, en l'insultant.

Depuis des milliers d'années. Le même grampe, le même tableau, le même désir qu'on la prenne dans les bras… Puis elle se calma. Il était tôt, l'aube approchait. Elle tripota les cordelettes. Les fantômes qui s'allumaient prirent l'apparence de la lumière du matin lorsqu'elle éclipse les ombres de la nuit.

Sol orange, losange – la porte claquée, et la voiture

démarre avant qu'Anna ne la rejoigne, en courant sous le grand porche. Des arbres noirs.

C'est fini.

Il n'y aura jamais rien d'autre. Il n'y a rien de plus à voir que ce qui a été vu, rien d'autre à dire que ce qui a été dit. C'était ainsi, ce sera comme ça.

Temps de se lever. De rappeler la Kimberly de ses seize ans. Elles partiraient comme un 12 juin faire du shopping dans la galerie, emprunter la voiture de papa. Viv tira les rideaux et vit le soleil de style californien. Elle aère, fait le ménage comme un 26 mai.

Elle se noue les cheveux et regarde dans le vide à la façon d'un 2 juillet.

Un 2 juillet…

Le grampe et la grame assis à la grande table du salon, un été.

Anna vient de réussir l'équivalent du baccalauréat. Les grands-parents ont affiché une coupure de journal qui annonce la promotion de cette année dans la vitrine du salon, au-dessus d'un tableau qui…

Profondément ennuyée par sa cousine, qui multiplie les dénégations timides et les manifestations de modestie, Viv – qui a redoublé l'année passée, dans un collège privé – fait la moue en tournant une cuillère d'argent dans sa tasse de café. Après-midi maussade. La conversation, avec sa mère et sa tante, porte sur un sujet qui l'indiffère – au point de ne même pas savoir de quoi il s'agit. Alors Viv, le menton au creux des mains, voit devant elle le grand tableau du salon.

« Regarde, regarde-le, nom de Dieu ! » se murmura Viv grimaçante, les ongles plantés dans les tréfonds de la Console, là où elle revenait le moins souvent, entre de vieux nœuds presque oubliés et sur le point de se défaire.

Sans se presser, Viv détourne la tête, les yeux dans le vide.

« Bordel ! » s'invectiva-t-elle, les mains plongées dans le cambouis de sa propre mémoire.

Et puis Viv penche doucement l'ovale de son visage. L'espace d'une seconde à peine, elle regarde enfin le tableau qu'elle avait toujours vu, qui ne lui disait rien.

Ça représente un baptême ; au centre, la mère habillée en jaune d'or, sous quatre fenêtres entre des murs nus. Elle tient le nouveau-né et le présente au pasteur, tout de noir vêtu. Derrière la mère, toute la famille. Et la famille est unie. On pourrait y imaginer Janet et Carol, leurs maris respectifs, le grampe et la grame, et le père du grampe. Viv serait le petit bébé. Elle sourit. Toute la famille rassemblée derrière elle, qui vient de naître. Penchés sur elle comme sur la promesse de leur avenir – les parents, les proches, le pasteur à la barbe sévère. C'est ainsi que Viv voit le tableau. Dans le coin, quatre carreaux, quatre vitres, et l'une des quatre plus cernée que les autres, qui dépasse.

Le grampe s'est penché sur elle, en lui tenant l'épaule, des miettes de biscuit dans ses moustaches tombantes. « Tu regardes le tableau ? » Il parle tout bas. Viv ne l'entend pas.

« Monte le son ! » supplia-t-elle. Afin de l'amplifier, elle torsada la cordelette, la renoua sur elle-même, et alors :

« …du XIXe siècle, peint par un certain Ancher, un Danois qui… »

7

Le montage

Couper – c'était l'idée. Et coller, voilà le but.

Viv avait de grands projets. Elle s'apprêtait à monter les fantômes comme au cinéma. S'emparant d'une paire de ciseaux, elle trembla au moment de couper pour la première fois dans le câblage de l'Éternité. Elle murmura pour elle-même qu'elle ne trichait pas – elle n'était pas mauvaise joueuse –, elle avait le droit de changer les choses, puisqu'elle avait changé. On ne pouvait pas la condamner à revivre une vie qui n'était désormais plus la sienne.

Le ciel était bleu aveuglant, les arbres vert fluorescent. La mer flottait. Dos à l'horizon maritime, sur le promontoire, elle débrancha la piscine et isola sa personne, la découpa sur la chaise longue vert et jaune. Un travail de haute précision.

« …Viv…

– Viv…

– Viv… »

Cernant sa personne seule, dénouée du téléphone et de Kimberly, et des amis, elle tailla la cordelette, comme le gène sur la branche d'un chromosome, préservant les interactions, les nœuds qu'elle voulait garder de son identité, défaisant tout le reste – nue, la peau pâle, cheveux courts… Puis elle déposa le fil sur la table, espérant que la lumière du soleil ne l'altérerait pas. Crachotant, court-circuités, les fantômes s'allumèrent, s'éteignirent. Viv protégea ses yeux avec des lunettes noires.

Pause.

Après quoi, bouclant maille sur maille, Viv commença à tresser les bouts rapportés – comme une couturière du temps jadis. Une silhouette d'Anna, le profil, et puis le son de sa voix dans l'air hivernal, sous le porche.

Premier essai.

Sonnerie.

« C'est Anna ! »

Elle porte une coupe au carré blonde, un anorak et les fesses un peu larges. Bise.

« Salut, Viv, suis juste passée pour voir si tu étais encore là. Tu vas bien ? »

La grame sourit, l'embrasse et au son du baiser elle sait qu'ils préfèrent sa cousine. Qu'ils l'aiment plus et mieux qu'elle. Souffle.

« Au fait, tant que j'y pense, grame, je t'ai apporté quelques graines de ce qu'ils conseillaient à la radio, pour les gencives.

– Oh, merci ma chérie Viv, c'est gentil Viv de penser à moi Viv… Il fallait pas… Dis-moi, il m'a Viv l'air plus que gentil, ce Viv voisin, c'est le même garçon que la dernière Viv fois ?

– Euh, oui, on, on est un peu ensemble, depuis hier…

– Oh, ma petite-Viv-fille ? Je suis si Viv contente Viv

pour Viv toi… Tu vois Viv ce que je te disais, le grampeAnna, j'avais deviné, heinAnna ? »

Ce n'était pas encore ça. Une scène alternative de la semaine précédente s'était immiscée entre les cordelettes et les découpes hachurées des silhouettes, des noms, des gestes tressautaient comme un vieux film sur un magnétoscope usé.

Il faudrait beaucoup de travail. Tant mieux.

Viv avait hérité des grosses fesses d'Anna. Elle atténua l'allure, se défit de son propre corps de poupée, le confondit dans les formes arrondies de sa cousine, sans prendre son identité pour autant. La bouche des grands-parents chaque fois qu'ils disaient « Viv » ne suivait pas leur voix – mauvais doublage. Du bout de ses ongles, dont le vernis avait disparu, Viv effila les cordelettes, comme des fils électriques cuivrés, les coupla, les associa et les dissocia, toute la journée, toute la nuit.

Elle en oublia ses soins quotidiens. Elle vieillissait, ses jambes se marbrèrent de bleu ; sa chair s'amollit légèrement et ses cheveux se firent sales et cassants.

Et puis elle parvint à la version désirée, au montage adéquat, qui atteignit au rythme, à la couleur, aux sonorités du réel.

Épuisée, Viv partit se doucher, mangea léger, rangea la colle et les ciseaux, soigna son corps puis enfila un pyjama d'enfant et s'assit sur la couette du lit, une jambe repliée sous les fesses.

Alors elle alluma les fantômes dans un vieux nœud de marin.

8

Un souvenir de famille

Le grampe et la grame sont assis à la grande table du salon. On boit le café dans l'obscurité. Viv est venue les voir. A fini ses études. Décroché son diplôme en école de commerce. Son nom sur un papier officiel. Les grands-parents l'ont exposé dans la vitrine du salon, au-dessous d'un tableau danois du XIXe siècle. Une œuvre d'un certain Ancher, un Danois qui... Ça représente un baptême ; au centre la mère en jaune d'or, sous quatre fenêtres parmi des murs nus. Elle tient le nouveau-né et le présente au pasteur, tout de noir vêtu. Derrière la mère, il y a toute la famille. La famille est unie. On pourrait y imaginer Janet et Carol, leurs maris respectifs, le grampe et la grame, et le père du grampe. Viv serait le petit bébé. Toute la famille rassemblée derrière elle, qui vient de naître. Patiemment, Viv détaille le tableau qu'elle connaît bien. Coupe au carré, un anorak, Viv leur demande des nouvelles de leur santé. Ils lui parlent de ce garçon.

« On est ensemble depuis hier, oui...

– Oh, ma petite-fille ! Je suis si contente pour toi... Tu vois ce que je te disais, le grampe, j'avais deviné, hein ? »

Tourne sa bague.

« Vous ai apporté quelques graines de ce qu'ils conseillaient à la radio, pour les gencives.

– Oh, il ne fallait pas, Viv...

– Non, ça me fait plaisir. »

Sonnerie.

« C'est Anna ! »

Cheveux lâchés. Bise.

« Salut Viv, suis juste passée pour voir si tu étais encore là. Tu vas bien ?

– Apparemment, nous avons beaucoup de choses à nous dire. J'ai envie de me faire chier plus longtemps pour des gens qui ont le même sang que moi. Je suis sûre qu'on se reverra. »

La grame sourit, embrasse Viv et au son du baiser elle sait qu'ils la préfèrent à sa cousine. Qu'ils l'aiment plus et mieux qu'elle.

Sol orange, losange.

Le lendemain, Viv emménageait dans un autre pays avec Michael. Kimberly aussi, dans la même entreprise. Elle pensait à grame et grampe. Avait décroché lorsque le numéro d'Anna s'affichait sur le téléphone portable. Quatre ou cinq lettres, ouvertes. Carol, la mère de Viv, lui avait appris les funérailles du grampe et de la grame. Décédés à trois semaines d'intervalle, une année de grand froid. Viv avait pleuré. Anna morte aussi, dans un accident de la circulation.

Puis tout avait changé.

Aux derniers feux de la trentaine de Viv, l'Expansion s'était arrêtée. Croissance en berne, hiver et dépression universels. Les borneurs aux quatre coins de l'univers, les militaires – planètes, colonies fermées. Quand Viv eut cinquante ans, alors que le temps avait considérablement ralenti, qu'on s'enlisait sur Terre, on reçut les colis de Browser. Ceux qui étaient partis en pèlerinage au Chalet avaient pris possession de leur Console et chacun avait appris à en faire bon usage, à sa façon. Comme à la nuit du monde des réverbères s'allumèrent : les fantômes. Incertains d'abord, clignotants. Mais bientôt il n'y eut plus qu'eux.

Viv avait appris à entretenir sa mémoire, rendant régulièrement visite à ses grands-parents. Ils étaient heureux. Chaque soir, elle revoyait le même tableau. Une œuvre d'un certain Ancher, un Danois qui… Ça représente un baptême; au centre la mère en jaune d'or, sous quatre fenêtres parmi des murs nus. Elle tient le nouveau-né et le présente au pasteur, tout de noir vêtu. Derrière la mère, il y a toute la famille. La famille est unie. On pourrait y imaginer Janet et Carol, leurs maris respectifs, le grampe et la grame, et le père du grampe. Viv serait le petit bébé. Toute la famille rassemblée derrière elle, qui vient de naître. Patiemment, Viv détaille le tableau qu'elle connaît bien. Coupe au carré, un anorak, Viv leur demande des nouvelles de leur santé. Ils lui parlent de ce garçon.

« On est ensemble depuis hier, oui…

– Oh, ma petite-fille ! Je suis si contente pour toi…

– Si contente pour toi…

– Pour toi…

– Contente. »

9
Le bonheur

Viv pleura des jours, des semaines, des mois.

Ils l'aimaient. Ses parents, ses grands-parents. Tout avait changé. Enfin, elle referma la Console de bambous. Après ça, elle pourrait vivre ou mourir – c'était égal – en paix.

Viv enfila son maillot de bain deux pièces. Épuisée, tituba au bord de la piscine. La chaleur était revenue.

Comme dans un tableau de Hockney, l'eau bougeait à peine à la surface, lignes blanches et bleues. Du sable fin brossait les marches blanches. Le ciel avait pris l'aspect d'une toile tendue couleur turquoise. C'était encore et toujours l'été – sa saison préférée. Dalles de céramique et sandales marron. Viv sirota un cocktail, se massa la nuque, la tartina de crème solaire. Contemplant le paysage immobile derrière les murs de la villa, elle bâilla.

Et s'assoupit.

Au réveil, Viv se releva pour prendre un dernier bain. Marche après marche, l'épiderme frissonnant, elle entra tout entière dans l'eau fraîche, la Console entre les mains. La poitrine raffermie, rejeta ses cheveux vers l'arrière. Enfonça la tête dans la piscine, se laissa couler, les poumons quasi vides. Lentement, se tourna et, allongée au fond du bassin, ouvrit les yeux afin d'en observer la surface. Un tableau abstrait aux formes mouvantes, ondulées. Il lui sembla reposer dans un caveau translucide, ou au cœur d'un vitrail liquide. La lumière passa dans l'eau, l'eau dans la lumière. Viv ne respirait plus. Ouvrit la bouche et l'eau chlorée se diffusa dans sa gorge, ses poumons, du larynx aux branchioles. Un dernier spasme. Elle sourit. La Console sur la poitrine, qui pesait comme du plomb, la lesta. Les bras en croix, elle demeura sur le carrelage, inconsciente – pour toujours.

Et elle attendit.

Jour et nuit animaient la nappe d'eau, deux ou trois mètres au-dessus de son corps immobile. Des rides se dessinaient, toujours les mêmes, et Viv y devina les visages de ceux qu'elle avait aimés, qui s'effacèrent doucement. Elle voyait le tableau qu'elle n'avait jamais regardé – de sa vie. Sous ses fesses, la faïence orange du fond de la piscine. Un petit carreau irrégulier entailla la chair de son dos. Elle saigna, se vida de son sang en quelques semaines, de même que ses poumons s'étaient vidés d'air. Et par-dessus le couvercle des eaux rougies, nervurées de lignes claires, comme des cordes de lumière flottant à la surface du bassin, de grands arbres blancs.

Peu importe l'Éternité – vie terminée, Viv était heureuse.

CARNAVAL

1

Edwin

Le premier cavalier allongea le pas souple de sa Mécanique du haut des falaises vers l'intérieur désert des terres.

Edwin cavalait, l'air tourmenté, sur l'herbe amène des hauteurs.

Il cillait à chaque mouvement des nuages gris et bleu velouté, réenclenchant nerveusement la Mécanique. C'était une machine articulée, montée sur quatre pattes d'acier nu, à la façon d'un très haut cheval sans buste ni tête. La Mécanique était commandée par la Console de bois aux trois quarts insérée dans le corps de la chose luisante, boulonnée aux articulations. Edwin était nerveux et sursautait au moindre coup de vent, à chaque frissonnement des bruyères.

Il s'assombrit.

Descendant du plateau, Edwin creusa ses joues comme

s'il était destiné à mourir aujourd'hui. Il mit un frein à sa Mécanique, regarda de-ci de-là si la Nature ne changeait pas, puis donna du mors à sa créature d'acier. La douleur crispait désagréablement sa face à mesure qu'il avançait. Edwin avait les cheveux blonds et il se dégageait de sa chevelure une impression de nervosité extrême, comme si le sommet de sa tête, ouvert, débordait de câbles dorés, d'étincelles et de gerbes d'électricité. Courbé, les épaules tombantes, il supportait comme un portemanteau, outre sa peau, une chemise au col boutonné, un pantalon trop long, vert et marron, et des gantelets sur ses mains fripées, qui paraissaient presque cuites à la vapeur.

Il stoppa sa Mécanique. Sentit du bout de ses doigts fins que ça venait enfin – comme l'orage. Edwin se cambra : il s'apprêtait à traverser vers la Ville.

Évidemment, tout commença par l'herbe. Edwin grinça de l'œil. Il vit l'herbe verte blanchir et monter sous les pieds de la Mécanique. Les brins grandirent vite et bien. Ils s'effilèrent, comme des lames puis des piques fines et aiguisées. La plaine, partout, se levait. Le vent gonfla. Les nuages n'en devinrent bientôt qu'un seul, taillé à la mesure du ciel tout entier.

Edwin localisa l'adversité : elle était partout, sortie de son cœur pour se nicher dans les herbes, sous la brise, à travers la lumière. Comme il possédait un corps exercé à l'action, il fendit l'air de ses gestes précis et mena sa Mécanique à vitesse maximale entre les pointes sorties du sol, qui caressaient déjà la plante de ses pieds, calés fermement sur les étriers grillagés. Il écrasa à la racine les aiguilles blanches et rigides, coupantes, pesant juste ce qu'il fallait sur les pattes motrices de la monture afin de replier près du sol les piques, de manière à dessiner pour la Mécanique et pour lui-même une ornière dans le champ de ces cure-dents géants. Mais ils envahirent bientôt l'horizon.

Vint le temps d'encaisser la souffrance. Il mima le geste de remonter la fermeture éclair d'une combinaison protectrice imaginaire. Les aiguilles fouettèrent sa face et son torse, cinglant comme un concert de fouets déchaînés.

Edwin connaissait cet éternel dilemme : accélérant le rythme de la course de sa monture, il sortirait plus vite de cet enfer, mais les pattes de la Mécanique frapperaient d'autant plus fort la base des épées qui, en réaction, meurtriraient encore plus durement sa chair, déjà bien entamée.

Il choisit de ralentir : la traversée dura des heures. La chemise du pauvre Edwin s'étoilait de lanières de sang et de fines lamelles de peau. Les blessures n'étaient pas très profondes, mais innombrables. Le mur strident qui lui faisait face, scintillant de la blancheur métallique des aiguilles, s'ouvrit soudain comme les derniers mètres d'une jungle, avant la clairière. Derrière, du roc et la terre. Une île minérale au milieu de la forêt des sabres et des fleurets.

Il ajusta sa Mécanique en mode montagneux et elle prit l'allure d'un isard, d'un bouquetin dans le déval minéral de pierres sans ordre ni raison. Edwin déchira un pan de chemise afin d'essuyer le sang qui lui coulait du front sur les paupières. À sa ceinture, il chercha une gourde d'eau fraîche. Mais déjà il entendait le bruit de la pluie qui s'apprêtait à tomber ; il maudit ce petit jeu.

Il allait souffrir.

Car la pluie s'apparentait en fait à la chute violente d'une pelote de fils longs et minces au bout desquels pendaient des aiguilles translucides. L'une après l'autre, elles se ficheraient dans son corps comme dans la roche, jusqu'à la grêler de trous minuscules qui donnaient à sa surface, à des kilomètres à la ronde, cet aspect caractéristique d'éponges délicatement sculptées.

Edwin ralentit la Mécanique, il mima le geste de couvrir son crâne de la capuche d'un K-Way, puis il reprit sa route.

Dans quatre jours, il atteindrait la Ville et il ne serait plus seul.

2

Edgar

Le deuxième cavalier mit le frein à sa Mécanique.

Il allait à la lisière des falaises, débarqué depuis la mer.

Edgar laissa au repos la monture figée dans une posture d'attente, une patte à moitié levée. Il avait le regard fuyant, enfoui sous une masse de cheveux bruns épais, dégoulinant presque de pétrole ou de suie. À ses pieds s'ouvrait un fossé, puis une bouche d'égout.

Son bras gauche le démangeait à force de picotements et d'étirements dus à l'emballement de son cœur affolé, qui battait la chamade comme s'il cherchait à fuir sa cage thoracique. Edgar aurait souhaité ne pas se prêter à tout ce cirque.

Il passa par le trou. Tenant fermement sous son bras droit la Console déboîtée hors de son logement dans le buste métallique de la Mécanique, il plongea dans le noir. Du bout du doigt, il toucha une longue corde de verre. Le principe consistait à s'y accrocher et à descendre sans toucher jamais les parois qui l'entouraient. Au bout, la Ville. À pleine poignée, Edgar saisit la corde de la main gauche et grimaça à cause d'un élancement musculaire ou d'une aorte bouchée. La Console dans une main, la corde dans l'autre, à l'aveuglette, il se laissa filer, et après une dizaine de minutes ses bras s'engourdirent.

Une pause.

Suspendu, il sentait les parois qui se rapprochaient, brûlantes. Vite. Comme un jongleur il échangea les rôles entre sa main gauche, râpée par le contact abrasif de la fibre de verre, et sa main droite, moite et crispée contre la Console. De nouveau d'aplomb, il reprit le cours de sa descente, dans l'humidité de la cavité sans fond. Mais dix minutes après, dodelinant de la tête, la poitrine prise, craignant l'infarctus, il lâcha prise et chuta inconscient.

Il tomba longtemps.

Peut-être avait-il eu raison de tomber : accélérant sa descente dans le vide, passant entre les parois suintantes dont la distance avait rétréci jusqu'à dessiner une taille de guêpe au gouffre, il se réveilla sain et sauf en équilibre précaire sur un large anneau de pierre précieuse accroché à l'extrémité inférieure de la corde de verre. De part et d'autre de son perchoir, des milliers d'autres anneaux brillants, d'or ou d'argent, flottaient suspendus au milieu de nulle part. Loin là-bas, une issue, la fin de ce niveau. Il s'agissait de traverser, dans le miroitement de boucles précieuses d'un mètre de diamètre, séparées les unes des autres par deux mètres de vide, suspendues dans le noir et en rotation sur elles-mêmes.

Il prit son élan, la Console sous le bras, et se raccrocha *in extremis* au cercle d'or le plus proche. Quelle direction choisir ? C'était un espace sans points cardinaux. Arrimé à la partie inférieure du cercle, il prit contact de la pointe de ses pieds déchaussés avec la partie supérieure de l'anneau suivant. Refermant comme des pinces ses doigts de pieds sur le métal précieux du grand cercle, il entama une spectaculaire gymnastique, enchaînant les flip-flaps, assurant les rétablissements. Mais il avait peur de laisser échapper sa Console.

Tel un papillon tremblant sur des bijoux étincelants, il voleta ainsi d'arc en arc – et lorsque, pris par la fatigue, il fit tomber la Console, il la rattrapa entre les chevilles, les bras écartés entre les deux points diamétralement opposés d'un anneau. Il se fit l'effet d'un gymnaste condamné à tenir une posture de concours, un boulet aux pieds.

Combien de temps pour se rétablir ?

Lentement, il se redressa. Edgar eut le sentiment, progressivement hypnotisé par l'éclat fugitif des grands anneaux en suspension – révélant la présence, même lointaine, d'une source de lumière –, de se mouvoir dans un paysage fondamental : peut-être qu'en deçà des molécules, des atomes, des électrons, des quarks, des cordes, il y avait des anneaux d'or et qu'il voyageait au cœur même de la matière.

Son cœur.

La douleur lancinante le reprit. Le thorax comprimé, une vague de douleur le submergea : l'attaque tant attendue, peut-être ? Mais le battement dans ses tempes s'étouffa et il rouvrit les yeux. Juste en face de lui, à une distance d'environ cinquante anneaux se dessinait une ligne droite, blanchâtre, crayeuse, faiblement éclairée, qui tranchait avec le décor aussi répétitif qu'un papier peint ou qu'un économiseur d'écran : des boucles d'or en colonnes, en rangées.

Et la sortie.

Une fois de plus, son bras défaillit. Ce diable de cœur, qu'il lui offre un jour ne serait-ce qu'une heure de répit ! Encore un effort, malgré la crampe. Edgar laissa échapper une plainte. Car il savait bien qu'une fois parvenu à la ligne d'horizon il lui faudrait trouver la corde de sortie, la corde de verre qui permettait de remonter à la surface. Et la perspective de l'énergie à dépenser, mètre après mètre, les mains en sang, contracta sa poitrine dans un spasme coronaire : il manquait de souffle, en proie depuis une éternité à la même crise cardiaque sans fin.

Mais, dans trois jours, il arriverait en Ville.

3
Elias

Le troisième cavalier suivait sa route tranquillement.

Nul vide sous ses pieds, nulle menace au-dessus de son crâne.

Elias ménageait sa Mécanique. Il avait quitté la barque de pin jaune, monté les escaliers biscornus sous le couvert des branchages humides et fééeriques, déplié sa Mécanique tout en haut des falaises de craie.

Devant lui, le désert.

Elias laissait cavaler sa monture à l'amble métronomique d'une montre bien réglée. Le métal de la chose se compliquait de reflets d'alu kaléidoscopiques. Les jointures argentées laissèrent s'anamorphoser la ligne d'horizon.

Elias s'arrêta et se roula une feuille, qu'il mâcha tout en observant le passage du jaune à l'orange parmi les derniers résidus de lœss alentour. Quelques noms lui revinrent : n'était-ce pas ainsi, le Gobi avant l'Éternité ? Ou plutôt les plaines du Yang-Tsé-Kiang, à l'abord des marches de l'Ouest d'antan ?

Elias alluma le feu de camp à l'aide de branchages secs récoltés sur un kilomètre de maquis. Les autres devaient certainement, à l'heure qu'il était, se construire leur petit jeu, des décors de pacotille sur ce pauvre désert mêlé de buis secs. Les joueurs projetaient sur le paysage ce qui se tramait en eux-mêmes. Elias soupira : quelle gaminerie.

Ils se retrouveraient en Ville et les choses se régleraient là-bas comme elles devaient l'être.

Elias déposa sur le sol dur et réel une couverture à carreaux bleus et verts, recouverte de poussière grise. Après avoir retiré son jean amidonné, il s'enroula dans le tissu râpeux.

Il lui manquait un oreiller.

Elias partit chercher la Console en se grattant les cuisses, le bâillement aux lèvres. Mais la chose était trop haute, trop anguleuse et trop dure. Sentant rageusement le sommeil qui s'en allait, il vit le froid de la nuit glisser sur la carcasse de la Mécanique au repos, les pattes repliées, le corps de travers. Elias n'aimait guère avoir recours aux cordelettes de la Console, mais il se résolut à les tripatouiller. Et par la magie qu'on devait à Browser, le caillou sans âme à deux mètres de son lit de fortune devient l'oreiller dodu de son enfance. Il se lova dans l'illusion du confort, le mirage du tissu de son lit d'écolier, l'odeur des soirs d'hiver à la maison, le baiser de la mère, et sentit une chaleur artificielle fondre dans son corps, puis le sublimer vers le sommeil.

Au matin, Elias maudit la Console et les illusions. Fatigue et crampes après avoir dormi par terre, torticolis. Le crédit accordé au rêve est toujours débité sur le compte de la réalité. Il faut payer, disait Elias. Qui se leva, détailla la poussière orangée, sous le soleil encore bas. Il avait froid, mais l'air se réchaufferait d'ici quelques minutes. Elias enfonça ses pieds couverts de grosses chaussettes de laine dans la terre sablonneuse, apprécia son assise argileuse, à la lisière du désert de poudre.

Consciencieusement, il roula la couverture et serra les cordes de son bagage, puis monta sur la Mécanique à genoux, lorsqu'il aperçut une trace dans la terre jaunie, comme un filament. Un serpent ? Une craquelure dessinée dans le sol ? Un petit coup de pied dedans. Rien ne bougea. Il s'empara de la chose et, en la dépoussiérant, découvrit qu'il s'agissait d'une cordelette.

De bonne humeur, il fit mine de fouetter la Mécanique à l'aide de cette cravache de fortune. L'idée d'être cruel envers quelque chose d'insensible lui arracha un rictus ; il aimait les paradoxes. Bientôt il retrouverait des êtres de chair et de sang. Et il fouetta de plus belle.

Après une pleine journée de voyage, il aperçut à l'horizon une île de pierre, une baleine de roc échouée là-bas dans le sable, gigantesque continent émergeant d'une mer solide. Sans presser la monture, la corde à la main, il savoura le long moment d'approche des terres de Carnaval.

C'était là qu'aurait lieu le grand jeu.

Il fallait bien s'amuser dans ce monde où rien ne se passait plus.

Elias pensa à ses hôtes et adversaires, des Excentriques, des malades de l'Éternité, incapables de voir la réalité comme elle était. Qu'est-ce qu'ils n'auraient pas inventé, pour échapper à l'évidence ?

Lui était plus patient.

Disposant sa Mécanique en pilotage automatique, il regarda à peine, somnambulique mais lucide, la vague côte grise dénuée de tout pittoresque qui découpait l'horizon. Dans deux jours, il savait qu'il atteindrait la Ville.

4
Edmund

Le quatrième cavalier laissa reprendre la route à sa Mécanique.

Encore une bonne chose de faite. Réglée proprement. Voilà trois fois en trois jours qu'il la réparait. Soulagé, Edmund entama l'escalade des éboulis de pierre. Il avait atteint les terres de Carnaval et la ville approchait, à quelques dizaines de kilomètres à peine.

Edmund était un petit homme à moustache, rondouillard et lymphatique. Il portait un jean large et une chemise serrée – un peu de ventre gonflait sous les plis du tissu. Zigzaguant entre les rocs, en évitant les avalanches, il déposait les pattes de la Mécanique sur une grosse pierre, jugeait de sa stabilité puis s'en servait comme d'un appui pour rechercher la prochaine prise.

À pied, le voyage eût été impensable. Dénivelé trop important, failles titanesques, des rochers sur un déval, comme de gros œufs de pierre sur une table branlante – seule une Mécanique permettait d'enjamber tous ces obstacles. Elle semblait ralentir son voyageur mais lui ouvrait la voie vers des territoires inaccessibles, grâce à son système de suspension. Sachant combien sa Mécanique était précieuse sur les terres instables, Edmund la ménageait et la traitait comme une bête capricieuse.

Flattant sa croupe électronique, Edmund se frotta la moustache et guida la machine entre les cailloux. Ballotté sur son destrier d'acier, il entendit alors un bruit inhabituel, qui s'échappait d'une faille escarpée. S'orientant dans le couloir de guingois, il aboutit à un cirque de granit et tomba nez à nez avec deux animaux perchés sur un large galet plat, en équilibre sur un étroit piton. L'ensemble faisait penser à un jeu de bilboquet pétrifié.

Debout sur ses pattes arrière, un ours tenait dans sa gueule le bout d'une corde, dont l'autre extrémité se trouvait entre les crocs d'un loup gris. Les deux bêtes paraissaient avoir lutté depuis des années pour la possession de cette corde, sans que jamais l'un ou l'autre ne parvienne à l'emporter. Ils étaient maigres, décharnés et tendaient à l'immobilité parfaite. L'ours penchait vers l'arrière, mais le loup tendu vers l'avant s'agrippait au relief accidenté du rocher. À peine voyait-on les deux bêtes trembler.

Edmund demeura ébahi, puis descendit avec précaution de sa Mécanique. À la recherche de prises propices à l'escalade sur ce monument qui semblait inaccessible, il repéra les anfractuosités les plus proches et se lança à l'assaut du piton rocheux.

Sous le soleil, puis sous l'ombre du champignon de pierre, le galet qui surmontait la colonne, Edmund se colla contre la paroi et, évitant de dévisser idiotement, il parvint peu à peu à se hisser sous le plateau, la tête suspendue dans le vide. Par-dessus son épaule, il aperçut un instant sa Mécanique, réduite aux dimensions d'une fourmi luisante, cent mètres plus bas. Puis il s'arrima au bord de la plateforme et posa enfin le pied sur cet étrange théâtre.

Il sortit le couteau qu'il portait à la ceinture et s'approcha de la corde. Ni l'ours ni le loup ne lui jetèrent le moindre regard, hypnotisés qu'étaient les deux combattants l'un par l'autre. Edmund trancha la corde, du geste cérémonieux d'un petit Salomon rougeaud.

L'ours brun, déstabilisé, roula dans un grognement jusqu'au bord du rocher et se retint à grand-peine de tomber. Le loup gris, projeté vers l'arrière, se trouva sur le dos, gémissant et blessé contre l'arête effilée d'un rocher. Edmund s'apprêtait à soigner le loup, mais il fut surpris par son attaque fulgurante. Bondissant sur l'ours, la bête grise ensanglantée le mordit à la gorge et tous deux tombèrent dans le précipice sans un bruit.

C'était déjà fini.

Lorsque Edmund redescendit, il les trouva morts au pied de sa Mécanique. Il noua les deux segments de corde, puis jeta le tout sur le monticule formé par les deux cadavres.

Peut-être avait-il commis une erreur d'appréciation ?

Il chevauchait calmement, pensif, au milieu des roches indifférentes. Le paysage de blocs concassés, de concrétions et d'étranges sculptures abstraites laissa bientôt place à une vallée encaissée, où la végétation poussait en bosquets peu fleuris. Des filets d'eau faméliques vinrent mourir au creux des derniers rocs. Ici commençaient Carnaval et ses terres. Dans la poussière, à quelques kilomètres, le décor de la Ville.

La Traversée était terminée ; dans un jour à peine, il atteindrait la Ville. Et il ne serait plus seul.

5

Les règles du jeu

La Ville ?

C'était comme une fête, une foire sans acteurs ni spectateurs.

Les nombreux nuages au-dessus des bâtiments paraissaient peints à l'aquarelle par un artiste du dimanche. Ils débordaient l'un sur l'autre, bleus et sombres, jaunis par une tache baveuse qu'on imaginait être le soleil.

Sous ce ciel cartonné se profilaient les silhouettes d'églises sans confession, de bâtiments publics sans autorité et de rues vides. Des canaux à peu près asséchés sillonnaient le lacis déjà complexe des ruelles et, au-delà de monticules sablonneux, s'esquissait un sol grisâtre et poussiéreux de Far West fatigué. L'ensemble donnait l'impression d'une Venise génétiquement modifiée pour ressembler à une ville morte de l'Ouest américain, après la ruée vers l'or. Arcades de bois sculpté et façades de palais en stuc, orné de pancartes criblées de balles, hôtels dignes de Las Vegas, sur pilotis, et un grand saloon en marbre…

C'était la Ville.

Entre d'anciens stands de fête, face au saloon rose et gris, les quatre Mécaniques stoppèrent exactement en même temps. Edwin, chemise et pantalon déchirés, le torse barré par un bandage ensanglanté, était arrivé dans l'allée centrale du Strip par le cimetière mexicain de San Michele. Après un détour par la basilique du quartier sud, le visage à peine distinct sous ses cheveux sales, le corps couvert par un gros pull noir informe, Edgar se gara à l'ombre. Descendu de la montagne, passé par la sente entre la vieille bibliothèque et la mairie reconnaissable à son campanile en forme de derrick, Edmund sauta à terre. Le vent emporta un peu de poussière, il ferma les yeux et Elias parla le premier : « Bonjour à vous, joueurs. Les terres de Carnaval nous sont ouvertes. »

Et il mit sa Mécanique au box, en position « repos » près d'une auge de fer forgé.

« Je suis Edmund. C'est mon premier petit jeu. Vous êtes Elias ? »

Qui esquissa un rictus pour signifier qu'il était bien le maître de cérémonie. Puis il ouvrit grandes les portes monumentales du saloon de marbre.

Edgar, qui s'était fait oublier, entra le dernier. Debout derrière le comptoir, Elias empoignait déjà de hautes bouteilles de verre, plus grandes que lui, qu'il inclinait avec force et précaution, pour en verser le contenu dans des fioles de cristal.

« La première fois que vous jouez ? »

Elias scruta les trois types en contre-jour. Des couards, à leur manière. Facilement, il les encadra. Elias but le jus de roche d'un trait. S'essuya la bouche d'un revers de manche. Voilà donc les quatre hommes les plus braves du monde, à l'heure qu'il était. Pauvres de nous.

Il s'installa à la table du fond, un jeu de cartes à la main.

Le saloon était sale, mais de marbre. Le parquet vermoulu, le vieux piano désaccordé, le zinc du bar, les chaises défoncées, les tables bancales, la poussière. Tout en marbre.

À la table, Edwin déposa une moitié de son cul hors de la chaise, Edgar se blottit dans un coin et Edmund aplatit ses mains dans l'attente des cartes. Ah, le hasard hélas… Toutes les parties possibles, de belote, de tarot, de rami, de bridge ou de poker avaient été jouées jadis.

Mais leur jeu était bien différent.

« Je vais mettre les choses au point : ça commence demain matin. Retournez vos cartes. Qui a la main ? C'est Edmund, évidemment. Donc c'est lui qui jouera le premier.

– Mais il n'y a plus de hasard depuis longtemps. Vous saviez que ce serait moi…

– Est-ce que vous m'accusez de tricher ? Est-ce que vous connaissez seulement les *règles* ?

– Non, non… »

Elias se rassit.

« Alors les règles du jeu. Chacun sa Console. Nous les brancherons les unes sur les autres demain matin, et j'ajouterai ceci à celle de notre ami Edmund. » De la poche de son pantalon, il sortit une clochette de cuivre. « Ceci s'appelle le Grelot. Entre deux sonneries du Grelot, durant une journée, nous abandonnerons notre Console et nous la livrerons au Grelot, qui appartiendra successivement à chacun d'entre nous. Est-ce que ce n'est pas excitant ? Il faut bien s'amuser avec ce que Browser nous a donné. Demain, ce sera le tour d'Edmund. Et il en fera… Ma foi, vous verrez bien. Des questions ? Il est temps de dormir.

Des chambres d'hôtel vous attendent. La traversée a été éprouvante pour nous tous. »

6

Premier tour de mise

Au petit matin, Edmund les conduisit en direction de la bibliothèque, un gigantesque bâtiment de bois tropical verni. À l'entrée, Elias se pencha sur les quatre Consoles ouvertes et les connecta. Puis il releva la tête. « Prêts ? »

Tous acquiescèrent.

Elias fixa une corde de la Console d'Edmund à un crochet rouillé, sur le mur du hall de la bibliothèque. Au bout de la corde, il fit un nœud, y glissa le Grelot. Puis il donna une petite tape sur le Grelot, qui résonna entre les murs de la bibliothèque déserte.

Quand l'écho se dissipa, Edmund était le plus grand homme de tous les temps. Il avait inventé la « démocratie ».

Entouré de deux disciples fervents en toge, qui s'appelaient Edwin et Edgar, il marchait entre les rayonnages et la plupart des ouvrages étaient les siens. Depuis cette création fameuse entre toutes qu'avait été la « démocratie », les gens le vénéraient comme un dieu, parce qu'il avait tué tous les maîtres.

Edmund se tenait les mains dans le dos, face au soleil levant, paré d'une collerette blanche et d'un habit d'arlequin à carreaux jaune cadmium et marron. Il portait sur son cœur un blason figurant une plume d'oie argentée. Partout où il se rendait, il professait l'égalité. Quelle modestie que la sienne ! Tandis qu'il marchait à l'ombre des colonnes, sur le parvis, ses disciples le suppliaient d'accepter une contre-mesure discutée depuis des mois au parlement qu'il avait fondé : qu'il soit officiellement déifié, de manière à échapper à l'égalité de tous les citoyens entre eux.

« Maître... »

Edwin et Edgar se mirent à genoux. Edmund soupira.

Revenu vers le hall principal, il s'assit sur son siège en palissandre et commença à parler, alors que ses disciples le dévoraient des yeux. Il fit une fois de plus le récit de sa découverte de la « démocratie ».

« Seul... Je marchais dans le désert...

– Seul ? » Edwin et Edgar n'en revenaient pas : le maître n'était pas comme les autres.

« Ne m'interrompez pas chaque fois... Dans le désert, j'ai vu un ours se battre avec un loup, pour le contrôle d'une corde. Qu'ai-je fait ? Vous pouvez le deviner. Je ne suis pas plus intelligent que vous. »

En larmes, ils le remercièrent de lui avoir donné la possibilité d'être son égal. Edmund leur fit relever la tête. Ils voulurent l'embrasser tout de même.

« Réfléchissez par vous-mêmes... Qu'ai-je fait ? »

Durant des heures et des heures, Edmund continua à raconter comment il avait inventé la « démocratie ». Et ses deux disciples, prêts à défaillir d'admiration et de joie, le comparaient à un dieu, pour leur avoir permis à eux tous d'être des hommes égaux.

Mais à la tombée du jour, un grand critique de théâtre et de politique arriva.

Il connaissait fort bien l'œuvre d'Edmund et se présenta lui-même comme le plus humble disciple de Sa Grandeur. Il l'écouta avec respect, puis demanda s'il pouvait lui poser une question, une seule. Edmund lui répondit qu'il n'avait pas à l'autoriser à quoi que ce soit.

Le critique qui s'appelait Elias choisit ses mots avec soin et parla lentement : « Vous êtes, tout le monde le sait par vos œuvres passées, le créateur de "la démocratie"… La question que tout le monde se pose, c'est : quels sont vos projets ? Votre prochaine œuvre ? Pour l'avenir, que comptez-vous créer ? »

Silence de marbre.

Edmund bafouilla, Edwin et Edgar tétanisés à ses pieds. Le silence fut brisé en deux par un bruit strident.

C'était le Grelot et Elias se leva.

« Le jeu d'Edmund est fini. Il est temps de retourner dormir. Voici trois pailles. Quelle est la plus courte ? C'est Edwin qui l'a tirée. À demain. »

Il jeta les trois pailles à la poubelle.

« Venez, Edmund, c'est fini. »

Edmund était sonné, il contemplait le grand hall désertique et froid. Son ombre s'allongea mollement. La figure triste et les bras ballants, déchu, il rejoignit ses compagnons. Il n'était qu'un joueur parmi d'autres sur les terres de Carnaval. Un petit joueur.

7

Deuxième tour de mise

Le lendemain matin, Edwin conduisit ses trois compagnons à l'hôpital.

C'était un haut immeuble de style international, badigeonné de crépi blanc, mais tout entier en cristal. Les couloirs du bâtiment étaient mornes et longs, éclairés au néon. En les parcourant en blouse, Edwin suait à grosses gouttes et se tordait les mains comme avant un duel fatidique.

Edmund paraissait perdu dans ses pensées du jour d'avant, Edgar demeurait dans l'ombre et évitait la lumière des néons.

L'air concentré, Elias relia entre elles les Consoles, puis il fixa une cordelette d'Edwin à un déambulateur. Il y accrocha le Grelot, qui retentit dans les travées du bâtiment désaffecté.

Déjà, une vitre avait été brisée. Un événement inquiétant. Un brouhaha lointain envahit les alentours du centre hospitalier. Au sol, Edwin gisait dans une flaque de sang et l'aiguille d'une seringue anormalement grande – ou bien la flèche de l'arc d'un géant – lui avait perforé le thorax. Il suffoquait. Une foule hostile se pressait au rez-de-chaussée, à l'aube, et lançait contre les vitres des fenêtres du premier et du deuxième étage des pierres, des cocktails Molotov, des barres à mine. Peut-être une révolution.

Elias prit les choses en main.

Affolés, Edgar et Edmund ne savaient que faire. La corde et le Grelot n'avaient pas agi comme on le croyait.

« Faut l'emmener au dernier étage, aidez-moi à le transporter… »

Edwin était lourd, à l'agonie, perdant du sang. Il semblait impossible de retirer l'aiguille sans le vider tout entier, comme un pneu dont on arracherait la rustine. Tandis que les ampoules explosaient les unes après les autres au plafond, ils le transportèrent sur un brancard de fortune dans les escaliers de service, aux murs cristallins mais mal éclairés. Sous le toit, près de l'aération, on dénicha une chambre libre au papier peint jauni, en cristal lui aussi. Les cris s'amplifièrent et il fallut barricader la porte de diamant, à l'aide de chaises, de tables, de meubles de la salle d'eau et de téléviseurs.

Bientôt, les hurlements se firent distincts et on entendit le nom de l'un d'entre eux, réclamé par les manifestants enragés.

Alors Edwin, alité, se mit à baragouiner : « C'est moi qu'ils veulent… »

L'air empestait le chloroforme. La foule avait soif de sang et réclamait Edwin à cor et à cri. Les cheveux cendrés, la mine dévitalisée, Edwin rêvait de son martyre depuis trop longtemps. Il voulait finir en Christ.

« Il faut faire vite, ils ont envahi les étages. Probablement qu'ils sentent son odeur, pressa Elias.

– Je veux une croix ! » réclama, délirant, Edwin en touchant du bout des doigts l'aiguille qui transperçait sa poitrine.

« Nous savons que tu souffres pour nous », le réconforta Edmund, agenouillé près de lui, sur une couche imbibée de sang noir.

« Vous devez me donner ! cria le blessé, la bave aux lèvres.

– Non », répondit Elias en souriant, courbé au-dessus de lui, « nous te soignerons jusqu'au bout. Nous en avons fait le serment. » Et la journée passa en compresses, en bandages, en piqûres et en prières. Les battants de la porte adamantine avaient été fermés par des planches clouées en travers ; hommes et femmes mugissaient, poussaient afin de faire céder le dernier barrage. La dernière lampe faiblit. Bientôt, ce serait la nuit.

« Laissez-moi... », suppliait Edwin, qui désirait être livré en pâture ; mais Elias demeura inflexible.

« Pouvez pas savoir ce que je souffre..., implora Edwin.

– Ah non ? » Et comme le soleil se couchait par la fenêtre du dernier étage de l'hôpital de cristal investi par la foule, Elias reprit sa respiration et s'empala à son tour sur l'aiguille acérée qui sortait par le thorax d'Edwin. Un instant, il crut défaillir. Mais il souffrait autant que l'autre, désormais. Sous le corps d'Elias, Edwin pleurnicha : « Tu n'as pas le droit... Il n'y a *que moi*... » Puis la porte céda sous les coups de boutoir de ceux du dehors.

Et le Grelot retentit. C'était fini.

En grimaçant, Elias se releva et nettoya le sang qui avait sali sa blouse. Accroupis craintivement dans un angle de la chambre, Edmund et Edgar rouvrirent les yeux : la porte était entrebâillée, il n'y avait personne. Les néons clignotèrent. Le malheureux Edwin, indemne, recroquevillé sur son brancard de fortune, porta les mains sur son torse et n'y trouva pas la moindre cicatrice.

Sifflotant un air entraînant du temps jadis, Elias rangea avec soin le matériel médical dans un petit coffre de laiton et défit les nœuds qui raccordaient leurs quatre Consoles.

« Demain, c'est au tour d'Edgar. »

8

Troisième tour de mise

Le lendemain matin, ils sortirent dans la rue et rien ne se passa.

Leurs ombres se mouvaient dans la poussière et un vieux western parut ressusciter à chacun de leurs gestes. Elias s'accroupit près d'un poteau, arrangea les quatre Consoles, les régla en série, enroula la cordelette d'Edgar autour du poteau. Edmund et Edwin attendirent.

Le Grelot résonna.

Rien. La rue, le soleil, Edwin qui bâillait. Alors, ça venait ?

Elias tapa du revers de la main contre son front. « Edgar. Il n'est pas là. » On l'avait oublié, discret comme il était.

« Il faut le retrouver. »

Elias hocha la tête. « C'est sans doute son jeu à lui… »

On cria son nom, on souleva tous les draps, les rideaux. Sous les lits, au fond des armoires. Pas là. Enfantillages que tout cela, pesta Elias. « Le cache-cache… On aura vraiment tout vu… »

La Ville était immense. Edmund, Edwin et Elias se séparèrent afin de se consacrer à la recherche d'Edgar. Les poubelles. Les moindres rayons de la bibliothèque. Au cimetière, rouvrir les tombes. Vides.

Puis la nuit tomba.

Égouts et canalisations. Caves, greniers, écuries.

« Peut-être qu'il va gagner, envisagea timidement Edmund.

– Pas question. » Elias grogna. Vivement son tour de mise. Il sortit de sa Mécanique une carabine et la chargea. Les deux autres sursautèrent. Un petit malin, cet Edgar. Toujours se méfier de la discrétion. Edmund et Edwin n'étaient pas des gros clients. Mais Edgar… Le jeu le plus ancien, le plus simple… Je me cache. Et trouve-moi si tu peux.

Dans les allées des prisons, le long de canaux, à la lisière de la Ville, près des cabanes, les jardins ouvriers. Quelques pièges. Siffler. Chercher les traces. Elias vit le soleil tomber. Plus que quelques minutes. Il observa derrière les enclos les flaques d'eau opalines, qui reflétaient le ciel mal peint. Edgar… Un homme qui s'excusait presque d'exister… Il se cachait. Désirait être transparent. Un malin. N'était sans doute pas allé très loin. Elias connaissait ce type de pervers narcissique – en était lui-même un, très probablement. L'autre jouissait d'être sous leurs yeux, invisible. Elias sentit monter l'adrénaline et la haine, comme autrefois. La joie.

Il revint vers la grand-rue. Derniers feux du soleil. Reflets dans une vitre, au premier étage du saloon. Défaite. Un éclair, une ombre. Il lui sembla que la fenêtre bougeait – oh, à peine. Mais il mit en joue, visa et tira. Alors, en mille éclats de verre, la vitre hurla. Par terre, en morceaux, c'était Edgar. Il s'était *déguisé* en vitre.

Elias éclata de rire.

« Transparent ! Bonne idée… Bonne idée… »

Il rechargea son arme et prit le temps – alors que le cœur d'Edgar, en mille fragments de verre sanglant, s'était répandu sur la poussière de la rue, à la nuit tombée – de dénouer du poteau la corde et le Grelot. D'un geste léger de la main droite, il le heurta et sonna l'heure de la fin de la récréation. Puis il se tourna vers les trois autres, les toisa avec un sourire mauvais et les yeux révulsés.

« Demain, c'est mon tour. »

9

Dernier tour de mise

Edmund, Edwin et Edgar retinrent leur souffle.

Elias laissa tinter le Grelot et vint s'asseoir à leur table. Il offrit une tournée générale d'alcool de lichen, distribuant les cartes sans se presser.

« Pas d'inquiétude. Juste histoire de passer du bon temps. » On joua aux cartes et l'affaire prit un tour plaisant.

De grandes rasades d'alcool de bois, plus fort que celui de champignon. Même Edgar se détendit. Elias mettait chacun d'entre eux à l'aise, on joua plusieurs heures d'affilée. Suite à quoi Elias s'étira, rabattit son chapeau de cow-boy sur le devant, les pieds croisés sur le dossier d'une chaise bancale, et fit la sieste. Les autres attendirent ; au bout d'une heure, ils dormaient à leur tour.

Quand ils se réveillèrent, Elias n'était plus là. À nouveau l'angoisse s'empara d'eux. Fallait-il le chercher, comme ça avait été le cas dans le petit jeu d'Edgar ?

Mais Elias revint de promenade comme si de rien n'était, un brin de paille à la bouche. Il proposa d'aller manger. Un vieux restaurant désaffecté, à un kilomètre de la sortie ouest. Une gargote constellée de toiles d'araignée en argent. Elias plaça ses invités, puis fit la cuisine en tablier. Des fleurs, des algues, quelques mets d'une grande frugalité. On but une eau très claire, on avait l'esprit confus, et guilleret. Alors seulement Elias commença à leur expliquer à quel jeu il jouait. C'était simple. Il n'aimait pas les fantasmes, les illusions. Il adorait la réalité – et il n'y en avait plus guère de traces, dans ce monde-ci. C'est pourquoi il venait en terre de Carnaval, histoire de jouer à ne pas jouer, de faire semblant de rien. Comme maintenant.

Edmund demanda : « Qu'est-ce qu'on va faire pendant une journée entière ? Rien ? On connaît tous ça, c'est le néant. »

Elias remarqua que, à plusieurs, ne rien faire était plus excitant. Ils étaient restés seuls trop longtemps.

Il les emmena pêcher des truites fossiles dans la rivière ombragée qui nourrissait les canaux de la Ville. Ils parcoururent les flancs ondoyants de la montagne en forme de baleine, comme pour dresser le plan de la cité. Regardèrent le soleil sans se protéger les yeux. Et chacun raconta quelques anecdotes sur sa propre vie avant Browser, afin d'apprendre à se connaître.

Edmund ? Un universitaire qui avait voulu connaître l'expérience du pouvoir. Et Edwin ? Avait soigné sa femme durant des années. Du jour de son mariage à celui de sa mort, malade. Lui, fidèle jusqu'au bout. Cliniques, et le cancer. Elias lui tapa dans le dos, comme un bon camarade : un autre monde, un autre temps, tout ça. Edgar écouta. Pas grand-chose à raconter.

Elias ? Un joueur professionnel. Croyait au hasard créateur. Avant l'Éternité de ce foutu Browser. Les casinos, les foires et les tripots… La vie.

Et puis il se leva, le soleil était déjà bas.

Accompagnant le déclin de l'astre vers l'horizon, les quatre joueurs descendirent les sentiers escarpés, traversèrent les trois ponts sur les eaux rouges, puis les rues obscures vers le saloon de marbre rose et gris. Dans l'air frais, un certain plaisir à aller ensemble. Ils marchaient en ligne et s'amusèrent tous quatre à mimer la dernière scène d'un film d'il y a longtemps. Edmund dégaina. Edgar roula à terre pour se réfugier derrière un tonneau percé. Seul Elias demeura droit au milieu de l'allée, actionnant une Winchester imaginaire. Edwin le couvrit et se sacrifia, le corps criblé de balles. On se moqua de lui. Il était heureux de partager son obsession d'Excentrique avec des amis. Il lui sembla même qu'il était guéri.

Edmund demanda : « Pourquoi on se retrouverait pas, pour jouer un jeu collectif ? »

Mais Elias claqua de la langue contre le palais. « Pas possible… L'État. Interdit. » Puis il s'agenouilla sur le sol du saloon afin de tripoter la corde et le Grelot.

Les autres l'entourèrent. « Qu'est-ce qui se passe ? Est-ce que ça va bientôt sonner ? »

Edwin regarda par la fenêtre. « La nuit tombe. »

Elias ne pipa mot. Contournant le comptoir, il se baissa puis se redressa, la carabine à la main. Ses bottes martelèrent le parquet de marbre. D'un coup de pied, il fit tomber le Grelot : la corde avait été sectionnée et le Grelot, bourré de coton, resta muet. Fier de son coup, Elias le glissa dans la poche de son pantalon. Les Consoles donc les existences de ces trois minables lui appartenaient pour une durée indéfinie, tant que ne résonnerait pas la cloche. Prenant le temps de parcourir avec le canon de son arme les visages hagards de ses amis d'un jour, il tira une fois dans le ventre d'Edwin, une fois dans le bras gauche d'Edgar, qu'il blessa grièvement, puis leur hurla : « Courez, courez, courez… C'est mon tour, et ça le sera jusqu'à ce que je vous crève comme des chiens ! »

Tous trois s'enfuirent avec difficulté, tandis qu'Elias allumait une cigarette.

Le temps de la fumer. Pas plus.

10
La chasse

Le plus grand jeu qui soit, c'est bien sûr la chasse.

Elias écrasa sa cigarette du talon.

Il rechargea sa carabine, sortit et huma l'air du soir. Ces abrutis avaient laissé des traces de sang derrière eux. Si aucun d'entre eux ne manifestait suffisamment l'intelligence de la proie, l'exercice ne serait guère profitable.

Parmi les palais flottants, ces bâtiments de brique construits sur des troncs d'arbres enfoncés à la verticale dans le sol du marais, Elias profitait de l'heure entre chien et loup. La balle était dans leur camp.

Il remonta les marches d'une ruelle, contourna les granges et découvrit avec amertume et dégoût les empreintes des trois joueurs. Planqués sous le foin. Lâches et imbéciles.

Alors comme ça ils ne voulaient pas jouer. Sans un bruit, il grimpa sur l'échelle de bois, envoya un grand coup de crosse dans la meule. Implorant et à bout de souffle, Edgar se jeta à ses pieds, une main posée sur sa cuisse blessée. Edwin demeura stoïque, attendant le coup de grâce, et Edmund jetait des regards incrédules à droite, à gauche.

Elias mastiqua le filtre de sa cigarette. Il pointa sa carabine sur Edwin, puis sur Edgar. Il s'adressait à Edmund.

« Cher ami, vous qui vous targuez de justice, sortez-moi de l'embarras. Je ne compte tuer qu'une fois. Cela me suffira. Alors dites-moi… Edwin ou Edgar ? Prenez votre temps, la justice est affaire de détails. »

Sans cesser de les mettre en joue, il s'assit.

« Je… je refuse.

– Si vous ne choisissez pas, ce sera vous. »

Edmund gémit, puis il prit une posture de grand homme, la chemise ouverte sur son torse râblé, comme s'il montait sur la guillotine, mais sa voix fluette ne portait guère : on n'entendit pas sa dernière phrase.

Le canon de la carabine fumait. Edmund gisait sans avenir : une peau morte.

« Vous l'avez tué… Sans sa Console, il ne peut pas revivre… »

Elias était las. Tout ça pour ça.

« Tuez-moi…, suppliait cet idiot d'Edwin, je me sacrifierai pour lui. »

Sans même y penser, Elias abattit l'autre d'une balle dans la tête. Aucun frisson. Le grand jeu n'était pas au rendez-vous. Saloperies.

Et puis… Elias lui-même s'écroula, frappé par-derrière. Tout juste eut-il le temps de sourire de ce coup tordu, bien joué par le troisième larron, Edwin. Ne pas se montrer trop sévère avec eux. Ils avaient de la ressource.

Le temps de récupérer, le crâne résonnant comme un gong oriental, Elias se leva et traîna son corps abasourdi à l'extérieur, dans la nuit naissante. Plus d'arme. Parfait. On jouait… Edwin ne l'avait pas abattu à bout portant, il aurait pu. Bel esprit.

Continuer.

Elias tituba sous la nuit cloutée d'étoiles, toujours les mêmes. Il se dirigea vers le saloon de marbre, qui était éclairé.

Attention aux pièges. Il s'agissait bien de gagner. Coup d'œil discret par la fenêtre. Personne. Il fit le détour par la porte de service. S'agenouilla près des auges de fer forgé. Alors un bruit étrange et familier à la fois. Qui provenait des tables de jeu.

Le fusil posé sur le zinc, Edwin était en train de renouer le Grelot – volé dans les poches d'Elias – à leurs Consoles. Oh, le salaud. Voler la clochette et sonner la fin.

Dans l'ombre, Elias sortit de son pantalon amidonné le bout de corde récupéré dans le désert. Il passa à l'écart du grand piano à queue, laissa grincer quelques lames du parquet de marbre – Edwin se retourna, et Elias lui sauta au cou. La bagarre s'engagea. Le fusil dans la main gauche, Edwin donnait en l'air de grands coups de crosse, à l'aveugle, tandis qu'Elias l'étranglait, la corde serrée contre sa gorge. Mais, d'un coup de coude, Edwin le mit à terre. Et Elias tomba lourdement.

Griffant sa cheville, il ne parvint pas à l'arrêter : Edwin finit de nouer le carillon aux cordelettes. Le temps qu'Elias ramasse la carabine au sol, la recharge et fasse feu – dans un mouvement réflexe, l'autre avait trouvé la force de percuter le Grelot d'une pichenette de l'index.

Alors Elias rugit avec au fond de la voix le trémolo des vaincus – déjà, l'écho envahissait la Ville, réveillant les morts dans le marbre éternel.

Le temps était écoulé.

Edwin se laissa tomber, les bras en croix. Il avait gagné.

11
L'abattage

Sur une poignée de main, ils se séparèrent sans promettre de se revoir.

Chacun sur sa Mécanique, les joueurs s'apprêtaient à quitter les terres de Carnaval. On avait pris peur lors du jeu d'Elias, mais tout le monde s'accordait à dire que ce tour de mise avait été le plus imprévu et le plus palpitant. Ils se congratulèrent puis s'éparpillèrent aux quatre vents.

Edwin parcourait songeur les plaines, à la nuit tombée. Bientôt, il singea le geste d'enfiler un K-Way. Le ciel se couvrait. Mais le déluge ne vint jamais. En lieu et place de l'averse, Edwin vit se dessiner à l'horizon des terres brunes, brumeuses, une forme étrange. Comme sa Mécanique hoquetait, il mit pied à terre et marcha en direction du mirage. À cent pas, il n'y avait plus rien. En se retournant, Edwin découvrit une ombre qui se déplaçait autour de sa Mécanique, déchargeant sa Console avant de l'ouvrir à même le sol. Qu'est-ce que… ? Edwin sentit une aiguille lui déchirer le ventre et, alors même qu'il se croyait guéri du désir de souffrir, il s'évanouit.

À quelques kilomètres à peine de là, Edgar s'apprêtait à pénétrer de nuit la cavité qui le conduirait aux cordes de verre, aux anneaux d'or. Reprogrammant sa Mécanique afin de la rejoindre au bord de la mer, il tâtonna sur le pourtour de la bouche d'égout, à la recherche de sa Console – mais elle n'y était plus. Tombée ? Il s'agrippa à la corde de verre, se pencha vers l'avant, mais la corde disparut entre ses mains et il chuta, sans pouvoir se raccrocher à quoi que ce soit. Alors son cœur lâcha pour de bon et – la main crispée sur le côté gauche de sa poitrine – il ouvrit la bouche sans parvenir à émettre le moindre son.

Une heure après, Elias sifflotait dans le désert, à l'approche des marches du lœss et des grands plateaux. Derrière lui, il traînait deux Mécaniques. Sur la première d'entre elles Edwin gisait sans connaissance, le ventre ouvert. Sur la seconde Edgar était accroché, le visage figé. Elias avait ficelé sur sa propre monture sa Console et celles des deux autres. La vengeance était le nouveau jeu à la mode, pas de doute. À l'avant de sa Mécanique, en guise de collier, Elias avait suspendu le Grelot qui sonnait sans discontinuer, au rythme des pas de la Mécanique. L'idée enchantait Elias, qui sifflotait en cadence.

Plus tard, plus loin, juste avant le matin, Edmund crut deviner au sommet d'un monticule les silhouettes d'un ours et d'un loup. Il abandonna sa machine et escalada la paroi. Près du sommet, il dérapa. En équilibre sur une arête friable, il vit une corde se balancer dans la nuit, non loin de lui. Mais à mesure qu'il tentait de s'en saisir, elle s'éloignait et se jouait de lui. Il tendit désespérément le bras, le cou – et il s'aperçut alors, dans la pénombre, qu'au bout de la corde on avait fait un nœud coulant, qui lui passa au-dessus des oreilles et glissa contre sa nuque. Pendu dans le vide, il s'agita quelques instants. Aux premiers rayons du soleil, Elias termina sa cigarette et remonta la corde comme le fil d'une canne à pêche. La prise avait été bonne.

La caravane des trois perdants et du vainqueur traversa le désert et quitta les terres des Excentriques. Elias avait gagné. Le Grelot résonnait encore et toujours. Jusqu'à la mer froide et bleue, les Mécaniques allèrent au pas, en file indienne. Parvenu à bon port, Elias chargea sa cargaison dans une yole bosselée qu'il barra sur les eaux, tel l'ancien gardien du Styx.

Et le cortège rejoignit les terres de la loi et de l'État.

12

Triomphe et trophée

Dans l'ascenseur du Chalet de l'État, Elias déposa les trois Consoles d'Edwin, d'Edgar et d'Edmund.

Andred descendit pour le saluer. On connaissait les lubies d'Elias, qui étaient tolérées. On fermait les yeux sur ses jeux. Qui pouvait se targuer de n'avoir aucune perversion ? Andred laissait ses responsables profiter de leurs privilèges discrets. À charge de revanche.

Elias porta les Consoles tout en haut de la terrasse qui dominait le monde entier, afin de jeter ce mobilier de leur âme dans le néant du Placard. Ce qui lui plaisait par-dessus tout, c'était l'idée de conserver des corps dont les Consoles avaient été exclues de ce monde. Il collectionnait donc les corps anéantis, sans souvenir, sans vie et sans identité. Dans une chambre du Chalet, il entreposait les corps des perdants, dont la Console avait été mise au Placard.

Après s'être débarrassé de celles d'Edmund, d'Edgar et d'Edwin, il ressentit une pointe de déception et se retira dans sa chambre avec leurs cadavres. Il ne parvenait même plus à se souvenir de leur nom, une fois leur âme passée au Placard. Il y en avait un qui… Non, rien. Un paquet de chair, c'est ce qui restait à la fin. Il suspendit les dépouilles à un crochet de boucher, comme à un portemanteau. Un, deux, trois.

Assis devant ses trophées, témoins de son triomphe, Elias but un verre de roche distillée – l'alcool le plus fort de l'Éternité. Puis, en costume six pièces sombre, il s'enfonça dans son fauteuil en rotin, qui craquait faiblement. Quelle tristesse de gagner. Déjà, il s'ennuyait.

Il aurait aimé se souvenir des circonstances de sa victoire, peser en elle ce qu'il y avait de hasard, de nécessité. Mais le vaincu est d'un côté, le vainqueur de l'autre, et rien ne communique. Il rumina cette impossibilité, comme une croix tournant lentement dans le cercle de son esprit.

Le temps passant, la lassitude appelant l'habitude, il ne put résister à l'envie de lancer une série d'invitations sur carton bristol vers des demeures inconnues, pour une nouvelle partie de jeu en terre de Carnaval. D'ici quelques mois, rendez-vous en Ville. Il choisirait du mieux possible parmi les nombreux candidats. Les gens s'ennuyaient, le jeu les attirait et Elias ne se faisait guère de souci à ce sujet.

Il partit se coucher. Nu, la peau grêlée sur des draps bouffants de soie, la tête enfoncée dans son oreiller d'enfant, plongé dans des rêveries de jeunesse, Elias tenait entre ses doigts un bout de corde inerte, comme une vipère morte. À son extrémité, le Grelot résonnait doucement, tel le marchand de sable de ses six ans.

Mais, fatigué, il laissa le carillon tinter plus fort encore, en refermant les yeux.

Tandis qu'il s'endormait, quelque chose ne cessa de l'intriguer. Les sonorités acides que le Grelot diffusait dans l'air confiné de la chambre venaient heurter son tympan dans un ordre complexe et familier, qui lui sembla annoncer la venue d'un langage. Et le Grelot parut lui parler, d'une voix qu'il connaissait, de plus en plus forte…

Alors, saisi d'horreur, il se releva en sursaut, en sueur ; il entendait le Grelot hurler, cent fois, mille fois, comme un dé retombant invariablement sur le même chiffre :

« Mauvais joueur ! »

ELIEDO

1
Dans la forêt de chênes verts

Anita en eut assez de rêver.

Elle délaissa la Console et désira autre chose que l'illusion. Les images qui lui revenaient du Puits, la Vis qui tournait dans un sens ou dans l'autre, l'ennuyèrent. Depuis la fin des temps, elle habitait dans une chaumière dont la cheminée fumait jour et nuit, au beau milieu d'une large clairière, sur un tapis d'herbes bercées par le vent, qui ne poussaient ni ne jaunissaient jamais. Par la fenêtre ronde du premier étage, entre les colombages de bois sombre, elle voyait la demi-lune tranquille des premiers arbres, de grands hêtres et des bouleaux argentés qui paraissaient la veiller, puis la forêt dans un éternel printemps.

Lorsqu'elle découvrit glissée sous sa porte une enveloppe cachetée à son nom, Anita retrouva le sens de la curiosité. S'enveloppant dans un chaperon bleu, elle referma les fenêtres de sa masure, mais laissa la porte ouverte. Sa Console sous le bras, elle fit le tour de la demeure en torchis et sortit sa Mécanique de la grange.

Sur le carton bristol d'invitation, un certain Elias lui proposait de jouer, quelque part sur les terres de Carnaval. Et, tournant le dos à la maison au toit de chaume, elle traversa la clairière et pénétra dans la forêt en plein aprèsmidi. D'abord, elle suivit le sentier, puis elle se perdit – et le jour tomba. Il faisait frais et Anita était ravie de l'aventure. Bien décidée à repartir de bon matin dans la futaie touffue et odoriférante, elle mit pied à terre, chercha où dormir en attendant de traverser vers la Ville.

Alors qu'elle se baissait, en inspectant l'ornière qui lui servirait de lit pour la nuit, on l'assomma d'un coup sec sur l'occiput. Et elle perdit connaissance.

Au réveil, dans l'obscurité, une petite femme sans charme la menaçait d'un bâton et lui intima de marcher devant elle. Anita pensa un instant qu'elle vivait encore les péripéties d'un rêve qui lui venait de la Console, et s'en attrista. Puis elle vit du coin de l'œil que la femme traînait derrière elle – sans ménagement – la Console fermée.

« Où est-ce que vous m'emmenez ? »

La femme demeura coite et, au petit matin, Anita, les mains ligotées dans le dos, découvrit comme des nids géants d'oiseaux dans d'immenses chênes verts, à la lumière éclatante du soleil qui transperçait les feuillages. C'étaient des cabanes ; des hommes à moitié nus en sortirent et se pressèrent sur les branches les plus larges. L'un d'entre eux sauta et atterrit juste derrière elle.

Avant même de tourner le cou, elle le reconnut.

« Je m'appelle Eliedo. »

Il était bien rasé, avait les cheveux noirs de jais et la peau très blanche. D'une beauté à couper le souffle.

« Je sais. J'ai rêvé de vous. »

Il sembla désarçonné. Écrasant son herbe à fumer, il demanda à la femme renfrognée :

« Où l'as-tu trouvée, Penelope ?

– Elle allait vers Carnaval, pour jouer. »

Eliedo s'approcha et défit les liens qui entaillaient doucement les poignets d'Anita.

« Alors nous t'avons sauvée. Les joueurs ne reviennent jamais. »

Parce que Anita croisa son regard, il se mit à bégayer.

« Je v… vais te faire v… visiter. »

Eliedo, Penelope et une dizaine d'autres personnes, qui se désignaient comme des « Indiens », vivaient depuis dix ans – Anita demanda combien duraient dix années, n'en ayant pas la moindre idée – au cœur de la grande forêt de chênes verts, sur le chemin du Chalet. Ils appartenaient à une organisation secrète, la « résistance », fondée par un certain Raùl, qu'ils appelaient parfois leur « père » et qui prônait la fin de l'Éternité.

Anita fut enchantée par la nouveauté. Intarissable, elle assaillit Eliedo de questions tandis que, la prenant par la taille, il l'aidait à grimper le long du chêne majeur, un arbre rouge, jusqu'à la cabane la plus haute qu'il avait construite de ses propres mains.

« Est-ce que vous êtes armés ?

– Oui.

– Contre qui vous vous battez ? »

Ils n'attendaient plus que le feu vert du vieux Raùl pour prendre d'assaut le Chalet. Lorsqu'il fallait prononcer le nom du Père, la voix d'Eliedo redevenait celle d'un enfant. La crainte et le respect se mêlaient dans sa gorge, de sorte que son bégaiement devenait plus fort.

« Il s… sait que nous att… tendons. À son c… commandement, nous att… taquerons.

– Mais pourquoi ? »

Alors seulement elle remarqua la minuscule ride qui courait à travers le front soucieux d'Eliedo.

« Nous n'avons p… plus de Console. Nous les avons enterrées loin d'ici, dans le d… désert. Et nous vieillissons.

– Vieillir ?

– C'est la loi de la N… Nature. »

Elle lui rit au nez. « Vraiment ? » Et, tout autour d'elle, Anita désigna les grands arbres *sempervirens*, les ramilles inflexibles, la mousse toujours fraîche, les bourgeons, les fleurs et les fruits qui cohabitaient, sans cycles ni saisons.

Eliedo s'assit en tailleur et sourit.

« Tu ne connais pas le monde tel qu'il est. Il y a des fuites. L'Éternité a changé. »

Il ouvrit une trappe dans le sol de la cabane et, à une vingtaine de mètres sous leurs pieds, ils aperçurent Penelope, une pelle à la main, occupée à creuser un trou profond près du grand chêne rouge.

« Qu'est-ce qu'elle fait ? »

Eliedo ne répondit pas mais Anita vit sa Console disparaître sous les pelletées.

« Bientôt, tu comprendras. »

Un jour passa, puis une semaine, puis un mois. D'abord, Anita ne sentit pas la moindre différence ; elle prit part aux corvées et s'installa dans un nid, non loin du chêne d'Eliedo. La lumière, l'écorce et l'odeur de l'air, toujours les mêmes. Jusqu'à ce qu'elle hume ce léger parfum rance, qu'elle ne parvint ni à identifier ni à localiser. Ensuite, les arbres lui parurent plus torves, et le ciel moins bleu.

« Le m… monde pourrit », lui expliqua Eliedo, une cigarette à la bouche. Il la dévisagea et prit de l'assurance. « C'est R… Raùl qui l'a compris le pr… premier. Si on se débarrasse des Consoles, on le voit, on le sent tel qu'il est vr… vraiment. La Nature est en train de moisir. »

Anita refusa de le croire. Il haussa les épaules. Et de jour en jour la forêt de conte de fées lui apparut pour ce qu'elle était : un bois bientôt puant, gris, aux feuilles fripées, aux branches parcheminées et aux glands stériles.

Accroupie près de l'étang où ils se lavaient le matin, elle regarda filer entre ses mains l'eau croupie. Dans le reflet vague et ondulant, elle se dévisagea et, parmi ses cheveux épais et frisés, elle découvrit un long cheveu blanc – qu'elle arracha.

Eliedo se tenait debout derrière elle, inversé dans le miroir des eaux.

« Tu vieillis aussi. Nous résistons depuis longtemps. Quand Raùl enverra le signal, alors nous prendrons le Chalet : il y a la mort là-dedans, qui nous attend.

– Vous voulez mourir ?

– Pas toi ? Un jour, tous tes cheveux seront blancs et tes os craqueront. »

Elle réfléchit.

« Raùl est un hé… hé… héros. Il est Browser, mais remis à l'endroit. »

Brusquement, Anita se retourna et l'univers se révéla à elle tel qu'en lui-même : un jeu de forces vacillant, dans lequel elle-même faiblissait. De grands arbres malades, des racines atrophiées, un soleil déclinant… Elle ne put le supporter, cria et tomba à la renverse dans l'étang, paniquée.

Eliedo la prit dans ses bras, la recouvrit et la porta fiévreuse dans sa cabane, entre les branches du vaste chêne rouge. Il la veilla deux nuits, amoureusement, et lorsqu'elle s'éveilla, ils s'enlacèrent.

Alors Anita embrassa la cause.

2

Attente

Du minuscule regroupement d'Indiens à moitié nus, Anita fit une communauté, de la cabane perchée dans les branches du grand chêne, un foyer. Les résistants, qui paraissaient tous avoir une trentaine d'années, trouvèrent à son contact une seconde jeunesse. Des ponts de liane relièrent les abris, qui furent calfeutrés, isolés et décorés ; on alluma des feux de brousse afin de déshumidifier la forêt pourrissante. Pour ceux qui toussaient, on trouva des plantes qui, cuisinées en décoctions dans des bols d'argile, éclaircirent les bronches et assainirent les gorges. Anita proposa de faire varier l'alimentation, mais aussi de teindre les pagnes, avec des pigments extraits de fruits des bois, afin d'égayer le décor.

Eliedo se montra surpris par les idées de sa nouvelle compagne ; mais la solitude de son destin, depuis dix ans, lui avait fait espérer une partenaire. Attendant un signe du Père, il doutait parfois de sa mission, avec une bande de soldats craintifs, dans la forêt entre les terres de Carnaval et le chemin du Chalet ; Eliedo parvenait à l'âge où il n'était plus certain de croire. Anita était vive, drôle et pleine d'espoir.

Chaque soir, autour du feu, elle parlait avec les Indiens, ravis de sortir de la torpeur de leur guet permanent. Seule Penelope restait taciturne, solitaire et farouche. Anita tenta bien de lier connaissance avec elle, mais Penelope ne s'intéressait qu'aux flèches, aux bâtons et au feu. Reniflant à l'approche d'Anita, elle se courbait, s'accroupissant en lui tournant le dos, afin de ne pas avoir à la saluer.

Un soir, tandis que le feu finissait, Anita demanda pourquoi ils n'attaquaient pas.

« Il nous faut l'ordre du P… Père. Lorsque R… Raùl le d… dira, nous serons pr… prêts », expliqua Eliedo, en recouvrant les braises avec le tisonnier.

« Et comment Raùl se manifestera-t-il ? »

Eliedo sourit, comme s'il expliquait que la Terre était ronde à une innocente. « Un messager sur une Mécanique viendra. Il p… portera une image de lui, dans une enveloppe scellée, et je suis le seul à connaître le sceau du P… Père. »

Assise, les genoux contre la poitrine, sous les ramages fatigués des grands chênes tordus, Anita grimaça. Elle était impatiente de nature et l'attente ne lui convenait pas.

« Est-ce qu'il n'est pas temps de faire quelque chose ? Nous ne pouvons pas résister les bras croisés. »

Quelques-uns émirent un grognement de réprobation.

« Où habite-t-il ?

– Dans le désert, l'endroit s'appelle le Casque. Le P… Père a fondé la résistance là-bas. »

Anita se leva. « Alors, allons ensemble au Casque et rendons visite à Raùl. Demandons-lui combien de temps encore…

– Pas qu… question », l'interrompit sèchement Eliedo, presque paniqué. « Nous avons juré de dé… défendre la forêt et de rester en poste quoi qu'il arrive, jusqu'à ce que le t… temps soit venu. Je ne peux pas bouger d'ici. » Il écarta les bras, désigna Penelope et les autres. « Ils ne peuvent pas bouger. »

Alors Anita sourit, et son visage s'illumina à la lumière des dernières étincelles.

« Mais moi ? »

3
Le Casque

Suivant les indications d'Eliedo, Anita quitta seule la forêt, traversa les marais et engagea sa Mécanique dans les étendues désolées où, loin du Chalet, la résistance avait été inventée. La vieille Mécanique n'avait plus de Console pour la guider et Anita dut la conduire manuellement, avec difficulté.

Dans le désert, un petit groupe d'hommes était réuni près d'une dune et du creux de la dune un bâtiment en forme de heaume de chevalier sortait du sable avec majesté. C'était le Casque.

Le souffle de l'harmattan rasait la peau, biseautait les galets.

Anita marcha deux cents mètres avant d'atteindre l'entrée des murets de brique, autour du monument construit en blocs de béton finement taillés et passés au jet de sable. Quatre hommes vêtus de longues djellabas rouges fumaient une herbe sèche, tout en inspectant l'allure de la jeune femme. Elle prit son courage à deux mains, demanda : « Où est Raùl ? » Et elle présenta le petit dessin jauni au stylo à bille, qui représentait la tête carrée d'un homme aux cheveux longs, que lui avait donné Eliedo en guise de sauf-conduit. C'était le visage du Père. L'un des hommes examina le document, mais Anita eut le sentiment fugitif qu'il ne savait pas comment regarder une image : tournant et retournant la feuille de papier pliée en quatre, le garde en contempla aussi longtemps l'envers que l'endroit, les tranches que le plat. Et Anita supposa qu'un code secret, peut-être un filigrane, permettait l'authentification du précieux sésame.

Sans lui adresser la parole, la vigie lui indiqua une porte rectangulaire, plus large que haute.

Au fond du couloir, elle franchit des arches de pierre au granulat épais, monta le long d'une rampe et découvrit une porte en bois de noyer, éclairée par des lampes à huile. Elle frappa, on ne répondit pas. Sur le point de rebrousser chemin et d'aller retrouver les gardes à l'entrée du Casque, Anita posa la main sur la poignée de porte en ivoire, la tourna avec précaution – et elle entra.

« Il y a quelqu'un ? »

Comme personne ne répondit, Anita posa ses fesses contre la tête d'un vieux fauteuil tricoté en grosse laine, disposé dos à l'entrée. Elle soupira.

Un ronflement lui répondit.

À cet instant seulement, Anita réalisa que quelqu'un était assis, plongé dans l'ombre, et que ses fesses frôlaient le sommet du crâne dégarni de l'homme. Elle sursauta, tomba et renversa le guéridon, à la gauche du siège.

« Qui est là ? »

L'homme se réveilla. C'était un bloc buriné par une éternité de lutte. Il avait ramassé toute sa vérité dans un corps trop large et trop lourd. Une chemise rouge tulipe s'ouvrait sur son cou taurin. Des yeux inoxydables. Sa tête était carrée.

« Je dormais. »

Anita reprit consistance, contourna le fauteuil et fit face à Raùl, en passant derrière le bureau.

« Excusez-moi. » Fébrilement, elle chercha dans sa besace le portrait froissé au stylo à bille et le lui exhiba, le bras tendu.

« D'ici, je ne vois rien », grommela-t-il.

Désarçonnée par ce vieux monsieur tapi comme un ours dans sa tanière, Anita haussa la voix et se dressa sur la pointe des pieds afin de se grandir.

« Monsieur, ils n'attendent plus qu'un signe de vous ! » s'exclama Anita.

Au fond du fauteuil, Raùl la regarda, interloqué. « Qui ça ?

– Eliedo. Ses hommes. Ils attendent le signal pour attaquer. »

À la ride qui se dessina entre ses sourcils épais, Anita comprit qu'il les avait oubliés. Il ne savait plus qui était Eliedo.

« Ah… », prononça-t-il d'une voix grave de tribun fatigué, « je vois… » Mais il ne voyait rien.

Anita pensa à la beauté d'Eliedo et au bégaiement qui le saisissait chaque fois qu'il prononçait le nom adoré du Père de la résistance.

Derrière les fenêtres aux rideaux tirés, le vent du désert bruissait, grondait et les planches vermoulues vibraient sous le coup de la tempête. Des cadres étaient accrochés aux murs, des tableaux de liège couverts de papiers griffonnés.

« Laissez-moi le temps de me souvenir… » Raùl se leva

et rechercha parmi les papiers qui ne voulaient vraisemblablement rien dire une image – un dessin à la mine de plomb. C'était son propre portrait.

« C'est moi.

– Je vois ça.

– Comment dites-vous ? Quel nom ?

– Eliedo. »

Il secoua la tête.

« J'ai eu beaucoup de disciples, vous savez. Mais ce nom ne me dit rien. »

Agacée, Anita répondit : « Il vous appelle son Père.

– Père... ? » Raùl ne connaissait plus la signification du mot. « Et qu'est-ce qu'il attend de moi ?

– L'ordre d'attaquer le Chalet. Ils veulent reprendre la mort. »

Le vieil homme éclata de rire, mais les éclats s'étouffèrent dans une toux grasse.

« Pourquoi riez-vous ?

– Je suis plus vieux que vous tous. » Il se rassit, et ses os craquèrent dans la pénombre. « Je ne peux même plus me souvenir du jour où j'ai enterré ma Console, mademoiselle. Et je le regrette. J'ai peur de la mort. »

Anita pensa à tous ceux qui, au Casque, dans la forêt de chênes verts et ailleurs, projetaient la chute du Chalet.

« Et la résistance ?

– Je n'y crois plus. »

4
Résistance

La nuit vint et Eliedo attendait Anita, qui ne rentra pas. Faisant connaissance avec les résistants du Casque, elle dormit dans une chambre aux murs ripolinés du grand bâtiment, discutant des heures durant avec d'autres disciples de Raùl : deux d'entre eux à peine gardaient souvenir d'Eliedo, un jeune homme maigre, illuminé et fragile. Qui bégayait. Les autres n'en avaient jamais entendu parler. Installée dans un lit confortable, devant un hublot qui donnait sur la Lune immobile, Anita pensa à l'illusion dans laquelle Eliedo vivait et la tête lui tourna – elle eut mal au cœur.

Durant des nuits, elle et Eliedo avaient tenté de faire l'amour, sans succès : le souvenir des gestes ne leur était pas encore revenu. Ils s'étaient prodigué affection et caresses, sans jamais les ordonner jusqu'à un but. Anita s'assoupit en essayant d'imaginer comment donner un sens au rapprochement entre leurs deux corps, et comment sortir Eliedo de sa douce folie.

Le lendemain, on la réveilla précipitamment. Le Casque était sens dessus dessous : avant l'aube, Raùl était mort. Il n'était pas seulement catatonique, comme certains grands propriétaires qui oubliaient de s'entretenir grâce à la Console. Non, il était décédé. Le pouls aboli, la pression sanguine imprenable. Le regard fixe. Il ne respirait pas. Personne n'osait plus pénétrer la chambre du mort, au bout du couloir. La plupart des résistants étaient en proie à un état de nerfs à peine soutenable.

Seule Anita proposa de se présenter au chevet du vieux. Dans la mort, son visage avait été abandonné par toute forme de grandeur ou d'autorité. Anita tendit les doigts vers la tête arrondie du mort et lui ferma les paupières. Par un store vénitien en bois cérusé, la lumière orangée du désert battu par le vent se glissait sur les lames du parquet.

« Par où, se demanda Anita, la mort est-elle passée ? » Et elle regarda entre les stores. Le monde était fermé, mais quelque chose avait failli. La mort était sortie du Placard et revenue parmi nous. Les anciens résistants avaient peur. Il fallait engager des discussions avec l'État au plus vite. On décida dans l'heure d'atteler une caravane de Mécaniques, qui se dirigerait vers le Chalet. Si Raùl était décédé, à des centaines de kilomètres du Placard, c'est que n'importe qui, désormais, pouvait rendre l'âme, où qu'il soit.

À la tête de la caravane qu'elle guida en direction de la forêt, sur le chemin du Chalet, Anita alla en silence, se demandant ce qu'elle dirait à Eliedo. Une lumière incertaine découpait les feuilles maladives des grands chênes et Anita gardait la tête baissée, chevauchant au petit trot, les mains sur les commandes de la monture.

Un homme siffla, un guetteur planqué dans les branches d'un chêne. Elle lui sourit. Au-dessus d'elle, les feuillages bruirent de mouvements impatients. Anita demanda à la caravane de s'arrêter. Entre les arbres les plus hauts, Eliedo avait fait disposer des pièges et couvrir les branches de filets tressés à la main. Mais l'ennemi ne viendrait pas. Debout sur une grosse branche comme un capitaine sur sa dunette, en pantalon toilé et le torse toujours nu, il la salua. Puis sauta de son perchoir, à cinq bons mètres du sol, et la prit maladroitement dans les bras.

« Alors ? »

Il attendait les consignes de Raùl. Mais il découvrit la vingtaine de résistants qui attendaient, légèrement en retrait, derrière Anita. Le visage d'Eliedo s'illumina.

« Il nous envoie des renforts ! »

Il s'avança vers les hommes.

« Bienvenue. »

Le cavalier le plus avancé ne lui rendit pas son salut.

« Qui es-tu ? »

Eliedo se tourna vers Anita.

« Ils ne me c… connaissent pas ?

– Abrégeons, la route est encore longue jusqu'au Chalet », déclara l'un des anciens résistants du Casque, à l'adresse d'Anita.

« Attendez. » Et elle empoigna la main d'Eliedo. « Raùl est mort. » Il vacilla, les cheveux en désordre.

« M… mort ?

– Je les ai guidés jusqu'ici. Ils vont vers le Chalet, négocier avec l'État. La mort peut venir de partout, à présent. L'État n'est plus votre ennemi. » Anita tendit les rênes de sa monture mécanique à Eliedo. « Prends ma place et conduis-les. »

Mais Eliedo recula. Il était blême.

« Vous tr… trahissez notre P… Père… »

Les hommes sourirent.

« Quel père ?

– R… Raùl.

– Il ne savait même pas qui tu étais. »

Quelqu'un rit.

Eliedo ramassa un bâton et menaça celui qui s'était moqué de lui ; alors tous les hommes, mettant leurs Mécaniques en branle, l'encerclèrent et sortirent leur fronde pour le mettre en joue.

Eliedo leur avait tourné le dos. Il parlait à ses Indiens. « Qui veut r… résister ? »

Silence.

« Qui v… viens av… vec m… moi ? »

Pas un ne répondit. Seule Penelope se leva.

« Qui ? » Il hurlait, marchant à reculons, s'éloignant du grand chêne rouge, le poing dressé. Anita s'accrocha à son cou comme pour le retenir.

« Eliedo, s'il te plaît. »

Il chercha le regard honteux de chacun de ses camarades, qui l'abandonnaient. Deux ou trois d'entre eux s'approchèrent de lui, avec précaution, pour le maîtriser. Mais Penelope banda son arc.

« Le premier qui fait un geste… »

Ils reculèrent.

Eliedo saisit la main droite d'Anita et lui tordit violemment le poignet jusqu'à ce qu'elle lâche prise ; elle retomba sur le tapis de bruyère et s'évanouit. Stupéfait par son propre geste, peut-être honteux, peut-être orgueilleux, il disparut dans les buissons qu'il connaissait comme sa poche.

Lorsque Anita reprit connaissance, il était parti. Elle cria plusieurs fois son nom, en vain, et rejoignit la caravane de résistants et d'Indiens qui partaient pour le Chalet, dans l'espoir de repousser la mort qu'ils avaient appelée de leurs vœux tant qu'elle était loin d'eux et qu'ils voulaient fuir, maintenant qu'elle s'était approchée.

5

Dans la lande acide

Parmi les chênes et les fougères, sur le sol humide et froid, Penelope sommeillait la poitrine prise. Le vent invisible soufflait au-dessus des feuilles et, sous les rameaux tordus par l'arthrite des grands arbres, l'air moite et mou stagnait, comme la mare en contrebas.

Penelope avait un visage dur – le sommeil ne lui laissait aucune chance. Pas un beau nez. La bouche trop grande, elle ronflait en roulant la lèvre inférieure. Et pendant que son visage basané se fermait dans le repos, son petit ventre montait et descendait. Sans parvenir à trouver en elle quelque grâce que ce soit, Eliedo lui en fit crédit.

Ils avaient pris le maquis sur les coteaux calcaires, derrière les Lisières. Eliedo cracha ; ses sinus étaient acides, sa gorge irritée. Peut-être le tanin des baies de genévriers. Ils n'étaient plus habitués au grand air ; le ciel des forêts, contrairement à celui des propriétés, était saturé de réactions chimiques, comme si les molécules frémissaient à défaut de bouillir, aux lisières de l'Éternité. Du brouillard, un semblant d'humus, des pluies éthyliques, le grand air sentait l'alcool distillé. Et le vent invisible soufflait par-dessus la houppe des arbres. Eliedo eut le sentiment de s'être engagé dans une impasse bientôt plongée dans le noir. Personne ne porterait plus d'attention à la résistance.

Il étouffa.

L'Histoire le foulerait aux pieds. C'est avec Anita qu'il aurait fallu partir. *Elle* savait quoi faire.

Eliedo se mit d'aplomb sur des jambes flageolantes. Il balaya l'horizon à trois cent soixante degrés, en s'appuyant contre un rocher ; tout autour de lui, une forêt lourde et sombre, à travers les branches de laquelle on devinait des nuages informes et gris, jaunis par la fatigue du ciel.

Il se gratta la peau près du sternum, à l'endroit où ses os faisaient saillie. Sale, il était magnifique et on pouvait parier que le monde lui ferait payer une telle beauté. C'était un homme trop doux pour rester ignoré par ce que l'univers avait d'agressif. Les nuages s'assemblèrent et les feuilles coriaces, épineuses, se mirent à bruire. Pas d'animal. Eliedo chercha dans sa sacoche de quoi préparer un semblant de déjeuner. Et il se pencha vers Penelope, qui ronflait encore.

« Il faut partir… Viens. »

Sans attendre, elle sauta sur ses mollets lourds. Un vrai soldat. Effarante de fidélité. Il n'était jamais parvenu à savoir si elle croyait moins à la résistance qu'à lui, ou inversement : les deux tendaient à se confondre dans l'esprit de Penelope.

Ils sortirent de la forêt et suivirent une ligne de niveau sur les coteaux. Jusqu'à la lande, des herbes hautes, des collines mal peignées – et le vent qui les surprit à découvert. La mer était trop loin, les terres de Carnaval servaient de terrain de jeu aux Excentriques, Anita avait domestiqué la forêt, l'État dominait le découpage du bocage en parcelles. Il n'y avait plus guère qu'à regagner les terres vierges – dans lesquelles ils se perdirent en l'espace d'à peine une journée. Penelope suivait Eliedo comme s'il savait où la conduire. Il sourit et fit mine d'en être certain.

« On en a p… pour une heure, on passe par l'ouest. »

Il n'avait aucune idée du nord, pas la moindre intuition du sud. Une pluie acide s'écoulait lentement sur les derniers rideaux d'ifs et de pins d'Alep, comme sur les tempes d'un homme déjà dégarni. Ils s'engagèrent dans les terres chauves.

« Alors… » Eliedo se racla la gorge. À la nuit vite tombée, il avisa un massif de rochers gris, des sculptures de têtes d'oiseau pétrifiées, enfoncées au beau milieu d'un champ anthracite, mat et morne. Un chaos de grès en forme de cubes aux arêtes arrondies, aux yeux enfoncés, noircis, et agrémentés d'un bec dessiné par les caprices de l'érosion. Penelope et Eliedo avaient froid et grelottèrent dans leurs vêtements mouillés.

« D… dormons là. »

Au réveil, à l'abri d'un bec de pierre, il s'aperçut qu'il s'était assoupi sur le ventre de Penelope.

Gênés, ils démêlèrent leurs jambes, sous un fagot de

branchages humides qui encombraient leurs pieds. Impossible d'allumer le feu. Il bruinait encore et leurs tuniques suintaient. L'écoulement de l'eau à travers la pelouse calcaire devenue étrangement friable tramait la lande d'orchidées et d'anémones sans fleurs d'un réseau nerveux de ruissellements ; leurs pieds s'enfoncèrent dans la piscine, sur les flancs de la colline forestière. Il faisait froid ; longtemps ils pataugèrent jusqu'à atteindre un second chapelet de roches en forme de queues de poisson, affleurant au-dessus du tapis gorgé d'eau. Couverts de boue, ils n'aperçurent rien d'autre, au sommet, que la lande acide : une nature indifférente en voie de décomposition et de recomposition – comme si la lande était l'estomac, le foie malade, le foie jaune de la planète, pas encore réveillée de sa gueule de bois.

Où fonder, sur quel sol ? Une base solide pour une résistance d'avenir n'avait pas sa place dans ce pays vague et nauséeux. Eliedo regretta son départ.

Penelope attendait à son côté, le sac sur le dos, en se mouchant.

Alors Eliedo sourit, ramassa une poignée de courage au fond de son paquet de désespoir et indiqua une direction au hasard, loin dans les massifs de bruyère désolée. « Par l… là. »

Penelope acquiesça.

Tandis qu'ils descendaient dans le foin de molinie bleue, qu'ils écartaient tant bien que mal sur leur passage, avançant lentement en contournant les mottes terreuses, les souches de bouleaux pourrissantes, ils grignotèrent avec avidité les quelques baies rouges trouvées au milieu des ajoncs, la paume des mains noircie par le jus acidulé. Penelope demanda d'une voix flûtée, mal assurée : « Parle-moi encore de la résistance. »

Eliedo se sentit responsable et retrouva son assise, les pieds dans la tourbe.

« Un j… jour, nous serons m… morts, et tout le monde connaîtra nos n… noms. »

Il chercha de l'assurance sous ses pieds.

« Si ce n'était p… pas dif… ficile, tout le m… monde p… pourrait le faire… »

Devant eux un chemin, il ouvrit avec les mains un passage entre les hautes bruyères et les plantes du maquis.

« Il faut tenir. Sinon, il n'y aura plus de r… résistance, et tout pourrira lentement. Mais pas nous. »

L'inspiration rouvrit ses poumons à l'air alcoolisé, qui le grisa. Il sourit. Il ne bégayait plus.

« Nous sommes forts, plus forts qu'eux. Plus forts qu'Anita. Nous tuerons des gens pour sauver le monde

« Regarde ce monde… C'est un équilibre raté. »

Eliedo sentit le ciel se réchauffer. La lumière brossa doucement la lande.

« Nous mourrons pour une bonne raison. Et un jour des gens mourront pour nous. »

Dans la boue, entre les troncs enfoncés dans cette sorte de toundra, sur le tapis humide d'aiguilles de pin, de sable humide, avançant lentement vers les causses désolés, le nez humide, mais le crâne et les cheveux sales séchés par le soleil naissant, ils marchèrent l'un à côté de l'autre. Penelope l'écoutait sans mot dire. Elle releva la tête, les yeux illuminés, presque belle.

6

Avec Penelope

Les jours, les mois, les années ne passaient pas à proprement parler. Sur les Lisières, ce n'étaient encore que des brouillons, des avortons d'heures et de minutes. Mais sans leur Console, Penelope et Eliedo vieillirent à mesure qu'ils traversaient la lande.

La saison était incertaine, entre le dégel et la mousson ; en tout cas, il faisait froid. C'est Penelope qui essaya la première de retrouver les gestes pour allumer le feu. Après avoir amassé et laissé sécher dans un tissu au fond de sa besace de la paille, des aiguilles de pin et de l'herbe, elle avait taillé patiemment, avec un racloir de corne, un archet en bois de lierre. Puis, agenouillée au-dessus d'une planchette dans laquelle elle avait niché une baguette pointue, maladroitement, Penelope avait laissé aller et venir le bois, jusqu'à obtenir une sciure chauffée pour enflammer la paille et l'herbe. Eliedo la regarda sans intervenir. Il lui sembla qu'une certaine grâce guidait les mouvements des mains calleuses de Penelope au-dessus du foyer naissant. Il le lui fit remarquer.

À cet instant, Penelope trembla. Elle lâcha l'archet alors même que le feu partait, dans un coin abrité de la lande.

L'endroit s'embrasa dans l'instant, comme s'il n'attendait plus que ça depuis trop longtemps : une savane en flammes, enfin. La Nature parut réjouie par l'incendie. Mais, traînée par Eliedo, Penelope en ressortit l'avant-bras roussi et les vêtements calcinés. Elle n'exprima aucune plainte. Elle s'excusa même auprès de lui pour sa maladresse. Derrière eux la lande, lasse de l'humidité, prit goût au feu. Ils fuirent vers le soleil éternellement couchant, en direction de la mer intérieure. Lorsqu'ils furent à bonne distance du rideau de flammes de l'horizon, Eliedo mit un point d'honneur à inspecter la blessure de sa compagne, en dépit des protestations farouches de celle-ci. Son épiderme grossièrement cuivré avait un grain plutôt fin lorsqu'on le détaillait de très près. Comme si le feu l'avait mordue, la peau de Penelope était hélas envahie par une teinte sanguinolente. Elle était percluse de cloques, luisante et crevassée à certains endroits par les dents imaginaires de la flamme. Eliedo usa du peu de coton qui lui restait en réserve. Il se servit aussi des rares baies et plantes de la région, apparentées à l'absinthe, à l'ail et aux airelles, dont il savait reconnaître la forme et la fonction. Mais ils manquaient d'eau. Penelope le suivit en balançant ses fesses telle une ânesse, endurante et muette. Elle souffrait. Il tenta bien de la prendre dans les bras, sur le dos, pour la porter : elle pesait plus lourd que lui. Il abandonna.

Refaisant le compte de ce qui restait au fond de leur paquetage, du savon de lilas, trois lames de verre, des légumes réduits en poudre, deux gourdes, des lamelles de panais et de l'orge, Eliedo écrasa du grain couleur cumin et le dilua dans la liqueur au fond des gourdes d'inox, pour nourrir Penelope. Assise sur son manteau à capuche, elle avala une cuillerée à peine et réserva l'essentiel pour Eliedo.

« Tu dois prendre des forces, toi. Je ne compte pas. »

Il ne répondit pas. Le lendemain, il les engagea dans les contreforts montagneux balayés par des tourbillons, dans l'espoir de trouver de quoi la sauver. Eliedo savait qu'elle marcherait jusqu'au bout de ses forces et qu'elle ne tomberait qu'une fois aux portes de la mort. Car on pouvait mourir, désormais. Il ne la ménagea pas. Protégés par leur tunique en lin, ils arpentèrent les reliefs désolés à la recherche d'un col. La mer se trouvait juste derrière.

Ils avaient l'Éternité devant eux, c'est vrai. Mais ses forces déclinaient. Eliedo baissa la tête, essoufflé, dans une lézarde rocheuse. Son crâne bourdonna à cause du vent qui s'engouffrait dans le couloir granitique.

Les monts succédaient aux monts, inchangés, noirs et gris. Et c'était pour le retour de ce vieux monstre tué par Browser qu'il combattait : le temps. Ô Dieux du ciel, supplia Eliedo, redonnez-moi du temps ! Relevant la tête, devant lui, en contrebas, il aperçut une villa, perchée sur un à-pic au-dessus de l'océan – une riche villa dont scintillaient les dalles rose saumon, les petits escaliers en ardoise bordés de bouquets de thym. Le domaine semblait frais et silencieux. On devinait, en plissant les yeux, une piscine turquoise et rouge sang à l'arrière de la propriété. Et deux cents mètres au-dessus de la maison, si on se penchait encore un peu, on avait l'impression de percevoir une forme ondulante au fond de la piscine. À la manière d'algues bercées par les vaguelettes. Eliedo crut deviner des taches en mouvement sur la terrasse.

Mais il s'empressa de faire descendre Penelope par le sentier mal entretenu qui entaillait la paroi en forme de Z, jusqu'aux portes de la villa.

7
La villa

Lorsqu'ils passèrent le seuil de la propriété, Eliedo vit l'ombre d'un vieux monsieur se fondre dans celle d'un arbre. Il assit Penelope sur une chaise longue au tissu rayé de vert et de blanc. Le mariage lui parut incongru entre cette femme robuste, mal habillée, brûlée, les cheveux hérissés sur le crâne, et le décor qui avait été conçu pour une véritable beauté. Eliedo s'approcha avec précaution du bassin ; d'autres ombres filèrent dans les bosquets de lauriers-roses. Le son des grillons, entêtant, trop fort, couvrait les frôlements incessants de la végétation.

Alors Eliedo remarqua qu'aucune ombre ne correspondait logiquement à la position du soleil, ce qui donnait au lieu l'aspect incohérent et inquiétant d'une maison de poupée éclairée par mille lampes invisibles et contradictoires entre elles. L'ombre du garage s'inclinait vers l'est, celle de la maison vers l'ouest ; l'ombre d'Eliedo s'allongeait dans la direction opposée à celle de Penelope, sur le transatlantique.

Il se pencha et aperçut au fond du bassin la silhouette d'une sirène momifiée, une femme extrêmement âgée, recouverte d'algues, de plancton, de coraux, tenant entre ses bras une Console comme si c'était un trésor. Eliedo eut un mouvement de recul. Puis il entendit Penelope tomber. Fiévreuse, à bout de souffle, elle manquait d'eau ; il fallait impérativement trouver de quoi faire baisser sa température. Eliedo lui humecta le front avec une poignée d'eau du bassin habité par l'étrange fée aux cheveux d'or, à la peau parcheminée. Puis il l'allongea à l'ombre – qui se déplaça. Agacé, il grimpa alors les marches de l'escalier blanc, entre les bacs à palmiers. Il passa un rideau de perles pour entrer dans le grand salon dont la baie vitrée donnait sur l'océan.

« Qui est là ? »

Les ombres s'inversèrent encore une fois – mais personne ne répondit. Des vases de collection, des tableaux de maître et des photographies de famille aux murs. La mer, à travers la vitre du salon, paraissait engagée dans un crépuscule sans fin ni début, l'orange et le violet se disputant l'horizon indécidable.

Il renifla.

Les appartements puaient le poisson pourri et frit. Comme si dans chaque pièce avait été plantée la dent verdâtre d'une bouche mal lavée. Eliedo eut le sentiment de mettre la tête dans la gueule de l'Éternité. Et ça sentait mauvais. Il ouvrit le hublot du living-room, mais l'odeur venait du dehors aussi bien que du dedans. Montant les escaliers en se bouchant le nez, il ramassa un mouchoir à l'entrée d'une chambre et l'humecta d'une goutte d'un parfum fort trouvé sur un secrétaire, dans le couloir. C'était une infection. On aurait cru des égouts fermés et oubliés durant des siècles, rouverts d'un coup, remontant à la surface des choses. Il comprit que l'odeur n'avait pas d'origine : elle montait de partout et de nulle part. Un enfer d'huile et de panure à la farine rance, de dépérissement des chairs, de repas jamais digérés. L'odeur pestilentielle s'incrustait, il la sentit entre les mailles de la tunique qu'il portait – dans les pores de sa peau, bientôt. Trouver la salle de bains, la pharmacie de cette villa, rafler les médicaments, soigner Penelope et quitter les lieux au plus vite.

Eliedo passa devant une chambre rose qui donnait sur un balcon, vitre fermée. Il retira un instant le mouchoir de ses narines, son nez avait saigné. Il lui sembla que l'odeur variait. Il avait encore la nausée, mais entre les bouffées de puanteur quelques nappes d'air presque frais passèrent. Il se rapprocha de la fenêtre et l'horreur le saisit. Une gigantesque bouche sale paraissait littéralement imprimée sur la vitre. Plutôt : elle était la vitre elle-même, vivante, en verre mais flasque. L'odeur s'était retirée dans le tréfonds de cet orifice ; la bouche à travers laquelle on apercevait encore la mer se contracta et geignit sous le coup d'une invincible douleur. Du verre et du plexiglas s'échappa à peine une plainte étouffée, une plainte de damné. La bouche de deux mètres de haut s'agitait tel un animal blessé, contenant en elle l'odeur de nourriture pourrie, les dents qu'on n'avait jamais lavées. La chose essaya de parler.

Eliedo partit de la chambre affolé, renversa un pot de terre sur la moquette. L'objet se brisa en mille morceaux et la moquette se hérissa, comme touchée à vif. Eliedo vit sous ses pieds le sol d'aspect laineux saigner. Le tapis du couloir se leva et retomba ; c'était une langue râpeuse. Il se retourna.

La porte de la salle de bains, devant lui, paraissait bizarrement moulée. Les ombres changeantes la lui révélèrent inchangée : l'embrasure rectangulaire, les gonds solides, la couleur manganèse du battant – pourtant tout se tordait en dedans et la porte retenait une forme pénible d'escargot qu'Eliedo reconnut. C'était une oreille. Elle battait tel un tambour. Que cherchait-elle à lui dire ? « Dr… Mr… », baragouinait la chose. Dégoûté, Eliedo lutta contre le haut-le-cœur et, la main enveloppée dans le mouchoir, il toucha du bout des doigts la poignée, dans la conche velue de l'organe humide, pour l'ouvrir.

Dans la pénombre de la salle de bains, le plafond déformé suintait à la façon d'un torse poilu comprimé dans un film plastique, exsudant une huile qui dégoulinait déjà le long des parois. Sur le lavabo en émail blanc, un sexe mou d'homme se dessinait, tordu. Tout prenait ici l'apparence d'un corps démembré et aplati. Si Eliedo touchait le miroir, il sentait bien sous les doigts le verre et le laiton ; mais la matière des choses transpirait quelque organisme étranger et monstrueux, à moitié là, à moitié absent.

Eliedo ouvrit la pharmacie, ramassa des flacons d'antiseptique et remplit une bouteille d'eau du robinet, avant que tout ne se transforme.

Il comprenait. Tout ce qu'on avait sorti de ce monde était de retour. Lorsque la bulle éclaterait, le flot des ordures de l'univers envahirait de nouveau les appartements, les maisons, la réalité. Éventré, le néant rendrait comme une poubelle renversée ce qu'on avait jeté au Placard, sans plus y penser.

Le Refoulé. Ça revenait. Le barrage prêt à craquer.

Sur le miroir, une main ridée. Eliedo recula et tâtonna à la recherche de l'interrupteur.

Lorsque la lumière fut – l'horreur nue.

Criant le feu de tous ses poumons, la tête miniature d'un homme aux yeux clos apparut soudain, enfermée dans l'ampoule au-dessus d'Eliedo. Gorgone jaune d'électricité, au visage convexe, qui n'était plus qu'un hurlement de désespoir – l'homme criait son propre nom.

« Dreamer !!! »

Il était prisonnier sur le seuil du monde. Sa douleur éclairait les objets demeurés dans l'univers, la baignoire, le carrelage et les serviettes séchées. Il se tordait comme un fil engagé dans une interminable torsion – et Eliedo n'attendit pas plus d'une seconde pour ramasser un galet gris sur le rebord du lavabo et le lancer contre l'ampoule, qui explosa.

Dans un silence à la mesure du cri qui avait précédé, toute la villa prit feu.

En courant, Eliedo descendit les marches d'ardoise puis l'escalier blanc. Il traversa la terrasse au-dessus de l'océan, soleil couchant, jeta l'eau et les médicaments dans sa sacoche et trouva cette fois la force de porter Penelope inconsciente sur son dos. Il attacha avec sa chemise les mains de Penelope autour de son propre cou et resserra les pieds de sa compagne d'infortune contre son ventre.

En quittant la villa, Eliedo vit les ombres d'un vieil homme, d'une vieille femme autour de la piscine – ils pleuraient. Même le bassin rouge et bleu prit feu. L'eau brûlait, le corps plongé au fond aussi. La Console se consuma. Eliedo aperçut les cordelettes remontant à la surface, se tordant comme des myriades de serpents, qui sifflèrent à mesure que tout – les dalles, la maison, le thym, la terrasse, le crépuscule et les grands arbres noirs – se consumait à la façon d'une vieille carte postale dans la cheminée.

Quand ce fut terminé, il plut et le ciel se dégagea. Eliedo et Penelope, qui allait mieux, étaient déjà loin.

8

Légende

Après l'incendie de la villa, Penelope et Eliedo adoptèrent une stratégie payante de guérilla et ils attaquèrent une à une les propriétés isolées de l'Éternité. Leurs propriétaires, amorphes, ennuyés, impuissants, périrent par le feu. Leurs Consoles brûlèrent également. L'état d'urgence avait été décrété : le responsable Andred fit expulser de leurs domiciles les habitants des Lisières, de la lande et des bords de mer. La police se militarisa.

C'est à cette époque qu'Anita, qui avait mené des négociations avec le Chalet pour un règlement pacifique de la situation, quitta son poste et revint se cacher avec les anciens Indiens dans la forêt de chênes verts. Ses espoirs de négociation avaient été déçus. Elle attendait le retour d'Eliedo, écoutant enfler la rumeur à son sujet.

Eliedo lui-même fut surpris par sa légende naissante. Il entendit ainsi parler d'opérations qu'il n'avait jamais menées. Il crut qu'il s'agissait d'un exemple flagrant de propagande d'État. Puis comprit que des habitants chassés par les autorités avaient pris à leur tour le maquis et suivi son exemple pour attaquer la police. Eliedo ne chercha pas à coordonner ces marginaux. Il en rencontra quelques-uns, qui l'effrayèrent : le corps mal entretenu, les yeux fous, s'exprimant avec difficulté, l'humanité usée par trop d'éternité, ils remerciaient Eliedo, le traitaient en chef et lui soumettaient leurs propres théories et stratégies. La plupart du temps, après une heure d'échanges à peine compréhensibles, ils se fâchaient et partaient dans les bois défendre nus une autre vérité.

La dissémination des foyers de révolte compliqua la tâche d'éradication de la résistance – l'État était piqué de toutes parts à ses Lisières et plus il réagissait, en regroupant les habitants des marges vers le centre, plus les individus s'échappaient dans la Nature, hors de contrôle.

Penelope et Eliedo devinrent des maîtres dans l'art de prendre une patrouille de trois ou quatre hommes dans un défilé, sur une dune ou sous un orage. Eliedo servait d'appât. Apparaissant et disparaissant très vite, il les dispersait, tandis que Penelope les cueillait d'une flèche. Elle tirait avec précision et rapidité. Après avoir incendié leurs

Mécaniques et dépouillé leurs Consoles, ils relâchaient un unique survivant, qui rapporterait au Chalet l'incident. Penelope et Eliedo, vêtus de grandes robes amples, de bure ou de lin, une capuche rabattue sur le visage, mangeaient désormais à leur faim et vivaient suivant une routine dont l'entretien occupait tout leur temps. Plus de questions, peu de dialogues, des gestes, toujours les mêmes, et des déplacements calculés.

Ils commencèrent à être célèbres dans les Lisières. Entre voisins, les gens se regroupaient et leurs noms revenaient sans cesse dans les discussions inquiètes. Quelques joueurs excentriques les accueillirent, curieux de ce jeu nouveau. Mais le discours dogmatique d'Eliedo refroidit les esthètes les plus subversifs, et leur fit perdre toute envie de les accompagner dans la lutte. Puis l'armée nouvelle se retira des territoires isolés, au-delà des forêts de chênes verts. Eliedo confia alors à ses rares fidèles, dont par sécurité il ne connaissait la plupart du temps ni le nom ni le visage, caché par la capuche, l'organisation des Lisières par milices.

Il était barbu, sa voix tremblait et son bégaiement, dans les moments d'émotion, avait cédé le pas à un ralentissement de la parole, grave et bien pesée, qui lui donnait des tournures prophétiques. Eliedo avait pleinement conscience de sa stature. Il habitait à l'intérieur de cette idée de grandeur, de cette carcasse de héros qui lui pesait sur les épaules. Et il espérait parvenir rapidement à ses fins, mourir, abandonner son souvenir et son nom à de nouvelles générations, pour être soulagé enfin du poids qui opprimait sa poitrine, l'empêchait de dormir et pesait sur le moindre de ses gestes quotidiens.

On remarquait moins Penelope, le parfait factotum. Seule, elle était moins que rien : pas grand-chose. Or, Eliedo avait beau se montrer souvent plus faible qu'elle ne l'était, il savait où l'Histoire allait, il était habité d'un démon qui en ferait un grand homme. Dans le moment présent, il pouvait bien dépendre d'elle, sur le long terme c'est elle qui dépendait de lui. Elle se donnait tout entière à la confiance qu'elle avait dans le destin de ce garçon qui gagnerait le cœur des hommes. Penelope ne serait jamais aimée, jamais admirée. Elle était lucide : elle n'avait pas de charisme, n'attirait pas les hommes, les femmes, était incapable de parler, d'emporter la décision. Eliedo avait ce pouvoir.

Un beau jour, dans la propriété d'un certain Doug, qu'ils brûlèrent vif, ils trouvèrent des caisses entières d'explosif. C'était un amateur, un collectionneur de feux d'artifice. Ils emportèrent plusieurs caisses. C'était l'arme qu'ils cherchaient. Et, au bout d'années d'efforts, il leur sembla apercevoir la fin, comme si un dieu leur confirmait la vérité au bout du chemin.

Lorsque les Lisières des landes et des marais furent organisées en dizaines de patrouilles mobiles, Eliedo et Penelope ficelèrent leur paquetage, leur besace en lin, leur arc de bois tendre, leurs flèches, leur carquois. Et ils migrèrent sans prévenir vers le centre. À peine s'étaient-ils consultés. Le temps était venu. Pèlerins en tunique, une fourche à la main, les pieds ficelés dans des bourses de cuir, marchant sans ralentir ni accélérer, sous les pluies acides et par temps sec, sautant par-dessus les flaques de boue, coupant court à travers le désert, le sac de peau sur le dos, silencieux, les yeux dans la direction du Chalet, ils allaient.

8

Dans la grotte de cristaux géants

Penelope et Eliedo firent escale près de la rivière cristalline et chantante qui marquait la frontière des terres familières du Chalet.

Les alentours étaient gardés, barricadés de planches clouées en croix. Recrutés parmi ceux qui avaient quitté leurs propriétés des Lisières, les gardes portaient un nouvel uniforme rouge. Des habitations de fortune avaient été construites au pied du Chalet et des communautés de voisins y avaient emménagé, bénéficiant de la protection de l'État en échange de menus services quotidiens. Il fallait abattre les arbres, entretenir les vergers.

Traversant le cours d'eau vif, Penelope et Eliedo élurent domicile dans une grotte dont l'immense entrée en forme de gouttelette était creusée dans le flanc de la rive granitique de la rivière. Dans le premier salon, à l'ouverture d'un long boyau tortueux, ils mirent au sec le stock de poudre explosive, au fond de caisses calfeutrées avec des draps. Puis ils aménagèrent sur le sol plat une couche paillée, protégée par des couvertures aux motifs effacés par le temps et la pluie, au fil de leurs aventures. Après une journée de repos, allongés dans l'ombre, ils parlèrent enfin de la dernière attaque. Penelope avait les mains moites – Eliedo s'en aperçut en les lui touchant par hasard.

Il la prit dans les bras et lui promit de ne jamais la lâcher dans le vide. Il lui parla longuement.

Au bout d'une heure, elle dit d'une voix douce : « J'ai froid aux pieds, Eliedo. »

Jamais Penelope ne s'était plainte de quoi que ce soit. Eliedo réalisa soudain la fragilité de cet organisme qu'il croyait dur comme la pierre et chauffa avec précaution entre ses mains les pieds gelés de Penelope.

Lorsqu'elle s'abandonna à ce soin, elle ne parvint plus à tenir ses forces et sanglota faiblement en répétant qu'ils allaient mourir. Elle avait peur.

Eliedo resta muet.

« J'ai ça qui me remonte par le ventre, Eliedo ! »

Il lui toucha alors le thorax, le plexus solaire.

« Plus bas. »

Et Eliedo retrouva le souvenir perdu par l'humanité.

Le lendemain, ils sommeillaient hagards dans les bras l'un de l'autre, au fond du salon noir de la grande grotte, ne sachant que faire. Penelope décida : « Il faut attendre. Je crois que ça dure un an. Je crois, je ne sais plus. Dans un an, nous pourrons. »

Neuf mois durant, ils vécurent dans la clandestinité à quelques kilomètres à peine de l'État et Eliedo nourrit Penelope, qui se laissa entretenir. Il lui confia les incertitudes qu'il lui avait cachées. Elle se délivra des doutes qu'elle n'avait pas exprimés.

Eliedo récoltait baies, fruits, feuilles et racines. Il n'allumait de feu qu'à l'abri de la grotte, là où la lumière ne serait pas visible des soldats. Au seuil du dernier mois, inquiet de mouvements soudains des troupes, il l'emmena dans la chambre la plus profonde. Ils découvrirent émerveillés stalactites et stalagmites, cristaux géants de sélénite, des éclats rosissants de dix mètres de haut, comme des épées de colosses dans une gangue de roche calcaire. Au creux des cristaux miroitants, Penelope s'allongea et attendit la délivrance. Plus elle grossissait, plus son visage se creusait d'une beauté minérale inédite, qui reflétait les pierres brillantes. Eliedo comprit qu'il était amoureux d'elle.

Imaginant s'abandonner aux seules forces de la vie, il se vit habiter des années et des années au fond de la grotte miroitante de cristaux géants, et le dit à Penelope. Ce fut elle qui lui rappela son devoir. Désormais sa destinée intéressait moins Eliedo, il était las de se voir mourir ; il n'était plus très certain de vouloir en finir avec l'Éternité et l'État. Le poids de sa mission se fit plus léger sur ses épaules, mais une boule se forma dans son estomac. Il pensait à l'enfant à venir, seul et sans parents.

Tourmenté à l'idée de cet être qui vivrait quand lui ne vivrait plus, battant les herbes folles du pied, au bord de la rivière, à couvert des patrouilles qui s'étaient repliées aux alentours de l'embryon de ville se développant désormais au pied du Chalet, Eliedo escalada un matin la paroi au-dessus de l'entrée de la grande grotte. Blessé et niché sous un bloc de granite bleu, un animal au pelage noir, le museau dans un tapis de pelures et d'écorces, la patte brisée, du sang séché sur le flanc, grogna à son approche.

C'était un ours à lunettes. Une femelle.

Elle montra les crocs. Pétrifié, Eliedo la contempla longuement à distance. Il s'approcha, parla à l'ourse, qui gémit. Et, à l'aide de sa chemise, de quelques plantes médicinales qui poussaient parmi les pierres, il banda l'animal d'un pansement apaisant. Les jours suivants, il vint lui apporter à manger. Et l'ourse reprit des forces.

Un soir, une fois le crépuscule tombé, l'ourse descendit derrière Eliedo et l'accompagna au fond de la grotte. Sans hésiter, elle s'allongea entre les cristaux monumentaux, qui luisaient à la lueur du feu. La bête enveloppa Penelope muette, apeurée, pour lui communiquer sa chaleur et la douceur de son pelage.

Eliedo nourrissait l'ourse à lunettes et jouait avec elle. Penelope la brossa. Rassuré de laisser Penelope en la compagnie de la bête lourde, paisible et silencieuse, Eliedo partait ramasser de la mousse et des champignons. Il s'était laissé pousser la barbe. Le monde qui attendait son enfant serait repeuplé d'animaux. Une fois l'État abattu, la richesse du monde resurgirait. Il nous semblerait impensable de l'avoir oubliée. Eliedo envisagea avec sérénité sa propre fin. Il ramassa des sortes de chanterelles à tube d'un genre encore inconnu, de grands champignons d'une trentaine de centimètres, ornés d'un chapeau en forme d'entonnoir, couleur fauve et marbrée de violet. Les champignons poussaient en cercles au bord de l'eau.

Lorsqu'il revint dans la chambre minérale de la grotte, il entendit les gémissements de Penelope.

Elle s'était déjà libérée. Son visage ruisselant à la lumière du cristal était transfiguré, elle s'épancha dans la douleur et un petit d'homme sortit d'entre ses cuisses. Il ne ressemblait pas à ce qu'ils avaient cru, mais ils l'aimèrent : une peau violacée, sans rides, une petite masse chaude et congestionnée. Dans la panique, Eliedo enveloppa le nouveau-né d'une couverture et trancha sur l'arête d'un cristal de gypse géant le cordon qui le reliait à la mère épuisée.

Mais c'est l'ourse à lunettes qui sut s'occuper de l'enfant, le lécha, le chauffa et calma ses vagissements. Effrayés par l'irruption dans le monde de cet être inconnu, Eliedo et Penelope apprirent tout de la bête, qui allaita le petit en lieu et place de Penelope. Ses seins étaient secs.

Timidement, ils aidèrent l'ourse à lunettes à faire la toilette de l'enfant. Ils remontèrent de la chambre des cristaux géants vers le salon obscur, proche de l'entrée de la grotte. L'enfant ne leur appartenait plus, il était temps de partir. Penelope avait maigri, le visage d'Eliedo avait disparu sous la barbe. Elle passa plusieurs nuits à regarder avec curiosité, incompréhension et fascination le sommeil de l'enfant, blotti contre la fourrure de l'ourse. Et elle sursautait chaque fois que le petit pleurait : elle avait peur. Ils étaient incapables de comprendre cet être : désormais trop vieux, ils n'avaient plus qu'à partir. Eliedo et Penelope se levèrent avant le soleil, enfilèrent les uniformes militaires volés à leurs victimes dans les Lisières, répartirent les explosifs en sachets cousus main contre leur ventre, cachèrent la pointe des fourches, la corde des arcs et la pointe des flèches dans leurs besaces en lin. Le bâton réglementaire à la main, ils avancèrent le long de la rivière vive et pétillante, puis vers l'intérieur des terres, jusqu'au poste de garde du Chalet.

10

La prise du Chalet

Il faut le dire vite : ce fut un bain de sang et de poudre.

Dans la confusion la plus totale, Eliedo et Penelope passèrent les barrières, chargèrent le Chalet, tuèrent les hommes et les femmes en uniformes, désarmés, d'étage en étage. Puis ils redescendirent par les escaliers de marbre, disposèrent des charges à la base du bâtiment. Le Chalet n'avait pas été conçu pour résister à des explosions, si faibles soient-elles, dans une Éternité pacifiée. Et les soldats de l'État n'avaient jamais été préparés à combattre. Le monde ancien s'abîma dans les flammes. Un nombre important d'hommes périt dans la panique, l'explosion, et le bâtiment de l'État s'écroula derrière eux, après les combats. La terre trembla.

La poussière, les briques qui tenaient sans ciment, les colonnes sculptées, les centaines et les centaines d'étages, le bois, la charpente, tout l'ouvrage… Débris. Dans l'effondrement, une pierre de taille vola à un kilomètre de là, où Eliedo et Penelope, massacrant des militaires apeurés et décidés à se rendre, tentaient hagards de trouver la mort que personne ne semblait ni vouloir ni pouvoir leur donner. Percutés par la pierre de taille, ils tombèrent enfin à terre.

Lorsque Eliedo se réveilla, blessé à la poitrine, il vit Penelope touchée à la tête – morte. Et puis les ruines fumantes de la ville autour d'un trou béant dans la Terre, un mur de poussière et de feu sur la plaine. Des cadavres épars et plus de Chalet. C'était le chaos. Les quelques rescapés avaient fui l'incendie, en désordre, avant de se noyer dans la rivière ; ils ne savaient pas nager.

Eliedo était brûlé, mais conscient.

Portant Penelope sur son dos, il marcha sans but, des jours et des jours. Il fut trouvé errant près de la forêt de chênes verts par une vigie qui scrutait l'horizon enfumé.

11
Martyre

À son réveil dans la cabane où elle habitait encore, sur les branches torves du grand chêne, Anita demanda à Eliedo s'il désirait qu'elle le rasât. Sous sa barbe épaisse, roussie, dans laquelle, maigre comme il était, elle l'avait à peine reconnu. Il n'avait presque plus de peau, plus de cheveux – seule sa barbe avait tenu. Eliedo fit signe à Anita que non : il voulait finir barbu.

Anita se sentit étranglée par l'amour qu'elle ressentait

encore pour lui ; mais sa poitrine battante ne parvint pas à lui communiquer son élan. Eliedo était devenu sourd à tous les signes d'affection. Faible, la peau brûlée, respirant lentement, il attendait, couché dans la cabane qu'il avait lui-même construite au cœur de la forêt. Anita le lui rappela. Il avait oublié.

Enveloppé dans une gaze censée apaiser son épiderme à vif, il ne pensait à rien, ce qui lui ouvrait enfin l'accès à une forme de repos. Fini les serments, terminé les plans. Ses fidélités de jeune homme n'avaient plus aucune valeur, mais il les avait accomplies. L'échec qu'il craignait jadis avait perdu toute substance, aussi bien que la victoire qu'il ne parvenait même pas à se représenter, et qui n'avait plus la moindre consistance. Le lit de coton sous la gaze était doux. Il tenta d'en profiter, car il avait connu bien peu de lits confortables dans son existence, mais sa peau ne sentait plus rien, terminaisons nerveuses cramées.

Sur l'autre couche gisait Penelope. La douleur lui avait dessiné un masque de beauté. Anita sentit qu'elle ne pourrait plus rivaliser avec une femme parvenue, dans la mort, à n'être qu'elle-même avec une telle intensité. Elle tomba à genoux au côté d'Eliedo, qui inspirait et expirait avec un léger ronflement. Elle lui raconta des histoires qu'il ne comprenait pas. Et elle l'implora. Comme il aurait aimé la rassurer, depuis les bords de la tombe – mais elle était trop vivante, encore, pour l'entendre, et il était déjà trop mort pour lui parler.

Avec un air béat, il lui demanda tout de même, une main levée vers son visage, sa mèche de cheveux blancs :

« Dans la grotte au bord de la rivière, près des ruines du Chalet – un ours, tu lui dis mon nom.

« L'enfant avec lui – ne sépare pas l'animal et l'enfant. »

Et il s'arrêta, épuisé, recrachant du sang.

Alors Anita promit, en se relevant. Sur le toit tressé de la cabane, il bruinait. L'odeur familière du chêne rouge humide passa sous les narines d'Eliedo, comme celle d'un plaisir d'antan – mais sa mémoire se ferma aux charmes du parfum truffé. Sèchement, il demanda à être livré à la police. Le plus vite possible : il souffrait.

Malgré les protestations presque hystériques d'Anita, le Casque embarrassé par la présence du meurtrier sur son territoire respecta les vœux d'Eliedo.

Sur le territoire de l'État, chacun avait eu vent, directement ou indirectement, de l'histoire d'Eliedo et de la chute du Chalet. Déjà, trouée de tant de zones d'ombre, elle était fabulée : on parlait de victimes empalées, de continents incendiés et d'un enfant à la force titanesque, protégé par une armée d'ours gris. Un petit peuple se forma le long des allées, tandis qu'une Mécanique rouillée portait l'homme affaibli et noir comme la suie, le cadavre raide de Penelope attaché derrière lui par des cordages épais. Deux rangs de policiers et de militaires l'escortaient sous les arcades des chênes verts, à la sortie de la forêt, vers la plaine dévastée de l'ancien Chalet.

Chapeaux, tuniques, murmures.

Personne n'attaqua le convoi, mais jusqu'à la dernière clairière presque tous les gens baissèrent respectueusement la tête sur son passage, regardant du coin de l'œil l'homme qui faisait peur, rouge sang et noirci par le feu. Il avait déjà quelque chose d'un dieu mort.

Dans un demi-sommeil, il entendit les hommes et les femmes murmurer : « C'est Eliedo… » Il perçut indistinctement les louanges et les injures. Il devina qu'on craignait ce qu'il deviendrait. Que tous, en le dévisageant, essayaient comme dans un miroir angoissant d'entrapercevoir l'humanité de demain, l'avenir dans le marc de café proverbial : qui de ses adversaires ou de ses disciples ferait l'Histoire ? Tous hésitèrent au seuil de cet homme calciné comme un bout de bois, sur la monture bringuebalante, et dont l'idée débordait déjà le corps dans toutes les directions – en fumée.

Il entendit encore son nom, prononcé cent fois à voix basse parmi les rangs dégarnis de gens qui n'étaient ni tout à fait ses partisans, ni tout à fait ses ennemis. Il pensa à son fils, sans savoir comment l'appeler. Il entendit son propre nom qui montait de tous les poumons comme un étendard et comme une flamme. Il l'entendit résonner. Puis il perçut le bruit des feuilles rougies par l'automne, luisantes sur l'endroit, mates sur l'envers, par-dessus sa tête. Finalement il vit le souvenir silencieux, qui n'appartenait qu'à lui, de celle qu'il avait aimée. Son beau visage, tourné vers lui. Le souvenir empoigna son cœur comme la corde au cou du pendu. Alors il leur abandonna son nom et ferma les yeux pour emporter dans la mort sa vie toute pleine et bien finie.

LE FIL DE L'HISTOIRE

1
Le Casse-Tête

Dix ans plus tard, le pays est noir, le ciel est gris, la guerre est une poudre épaisse partout répandue. Dans un bruit assourdissant mais lui-même assourdi, des hommes de l'État remplissent les forges et se déversent vers les Lisières pour combattre la résistance eliédiste. Des épées sont coulées, l'autorité de l'État se concentre dans un trou situé à l'emplacement de l'ancien Chalet. C'est un déval traversé par des barres de métal, disposées en arêtes de polygones irréguliers entre les parois.

On l'appelle le Casse-Tête.

Beaucoup de mauvaises choses ont été réintroduites dans le monde. À nouveau les gens meurent, on fabrique des armes et on invente des techniques de torture pour faire parler les prisonniers. Et puis des enfants naissent, la science et l'esprit industrieux s'affinent dans les deux camps. De fil en aiguille se reconstituent les traditions et les techniques de construction et de couture. Les hommes ne vivent plus dans des propriétés solitaires, dispersées un peu partout à la surface de la planète – c'est devenu trop dangereux –, à l'exception de quelques Excentriques qui se sont assemblés autour du Casse-Tête de l'État ou sur les Lisières tenues par la résistance eliédiste, près des anciennes terres de Carnaval.

Sur le cercle de masures que dessine le premier faubourg urbain du Casse-Tête, ce ne sont que cris d'enfants, soupirs de mères sous des tentes blanches maculées par la suie, la poix et les gaz du gueulard des forges.

Pendant qu'on extrait le minerai du Casse-Tête, qu'on coule la fonte dans le creuset et qu'on travaille les armes au marteau-pilon, la police d'Andred quadrille le territoire et l'armée monte au front, de l'autre côté du bras de mer, afin d'éteindre les derniers feux de la résistance. Sous la lourde chape de chaleur émanant des forges, il fait très froid : terre pauvre et sol gelé le matin.

À l'extérieur du Casse-Tête, des officiers en tenue rapiécée rouge tulipe aux lisérés d'argent surveillent la production. Cintrés dans leur tunique mal cousue, les officiers rêvent de partir au front, de conquérir le temps d'une ou deux batailles un nom – car policiers et militaires de réserve demeurent anonymes, distingués au mieux par un nombre.

Beaucoup se racontent les heures les plus sombres sous Eliedo. Ce fanatique avait endeuillé la Terre et d'autres affabulateurs se pressaient à présent derrière son étendard maudit. Avec zèle, les hommes de l'État crachent sur l'endroit où il a été enterré, à quelques pas du Casse-Tête. Nul nom ne signale l'endroit, mais toujours il y a des glaviots auprès du monticule de terre. C'est un rituel auquel chacun sacrifie, en fin de semaine. Il n'y a pas de dimanche, seulement un recueillement auprès des morts, sans paroles rituelles ni gestes de cérémonie.

Puis les hommes retournent aux forges, dans la chaleur de l'âtre, pour battre le métal sous les yeux d'Andred, les mains crispées sur le grand balcon surplombant le Casse-Tête. Sortis sonnés à demi de la grande Éternité, les hommes hagards vénèrent leur chef et le Placard brûlé, qui reste le symbole de l'État. Hélas, Andred a vieilli. Depuis que les hommes naissent, les Consoles sont à la remise, dans un lieu bien gardé, mal branchées les unes sur les autres. Et les corps connaissent la corruption des chairs.

Andred, squelettique, bardé de fourrures parce qu'il a toujours froid, bénit ses troupes, assis près du Placard sauvé de l'incendie du Chalet. Les femmes touchent la chose d'une main, dans l'espoir d'être protégées, et baisent la main de Sa Seigneurie.

Dès le plus jeune âge des enfants, on les éduque à battre le fer et à manier l'épée. Depuis la grande catastrophe provoquée par Eliedo, le paysage change, la Terre dégorge chaque soir de l'humus moite, vomit une tourbe envahissante, et le ventre des femmes est fertile. Autant d'accouplements, autant de naissances. Au milieu des braillements de leurs puînés, les gosses errent sous les grandes tentes blanches. Ils portent tous des numéros et les femmes leur donnent des prénoms communs d'antan qui leur reviennent de temps en temps en mémoire. Un tel, jouant avec un ver de terre et un bâton, s'appelle Tom. Et son ami, les pieds nus, la morve au nez, qui a la paume des mains déjà brûlée par les rebuts de la grande forge, c'est Luis. Deux parmi d'autres.

Pour l'heure, le Casse-Tête bruisse d'activités, de gerbes d'étincelles et de cris. À la nuit tombée, sous les yeux des deux gamins, un nouveau corps d'armée s'apprête à partir pour le front : les femmes sortent des tentes pour saluer les combattants, protégés par un plastron sur la poitrine, le front ceint d'un bandeau rouge tulipe, un bâton et une épée à la main, un paquetage sur le dos, solidement attaché à l'aide de cordes arrachées aux Consoles. Les soldats écartent à coups de pied les enfants qui leur réclament quelques noix et des feuilles de chicorée à mâcher.

À la tête du régiment, Elias jette un œil animal sur la plaine grise et, deux doigts à la bouche, siffle l'ordre de mise en marche. L'ancien joueur de Carnaval s'est transformé en général. Andred trop âgé pour agir, Elias a pris le commandement des troupes pourchassant les fidèles d'Eliedo. Ennuyé par les petits jeux, lassé par la chasse, il a redécouvert la guerre avec grand plaisir.

2
Eliedinho

Elle avait un certain âge, à présent, et beaucoup de résistants l'avaient complètement oubliée.

Son épiderme avait pris la teinte du sable ; elle relevait ses beaux cheveux blancs en chignons tumultueux ; ses paupières retombaient au coin de ses yeux mutins ; ses joues s'affaissaient avec grâce, les fanons de son cou vibraient dès qu'elle prenait la parole. Et, chaque fois qu'elle se couchait, ses os craquaient.

Jamais elle n'avait cessé de négocier des trêves, des échanges de prisonniers. Mais ces derniers temps des têtes brûlées avaient pris la direction des affaires de la résistance eliédiste et le redoutable Elias, l'ancien tricheur, s'était emparé des pouvoirs militaires.

Alors, aux limites d'une vallée encore verte, loin de la mer, Anita s'était réfugiée dans une ferme isolée au milieu des champs cultivés de l'ancien Carnaval. Protégée par un long corridor rocheux creusé dans les montagnes en forme de dos de baleine, la ferme prospérait : on y cultivait de quoi nourrir le contingent et au premier étage du bâtiment orné de rochelles, au-dessus des arbres couverts de mousse espagnole, des parterres de magnolias, on y gardait précieusement l'enfant.

Le petit, surnommé Eliedinho, gambadait matin et soir dans les couloirs de la ferme, en compagnie d'une grosse ourse à lunettes qui était sa compagne de jeu, mangeait de la canne à sucre, du maïs et dormait avec lui, encordée et muselée par sécurité à quelques pas de son lit. À la lumière, Eliedinho était le portrait de son père. Mais dès qu'il passait dans l'ombre, parce que ses traits se boursouflaient plutôt qu'ils ne se découpaient, il ne lui ressemblait plus guère. Penelope, sa mère, paraissait ne lui avoir rien légué de son visage ou de sa silhouette – mais il est probable qu'elle hantait son caractère, dans les profondeurs de son être : c'était un enfant qui parlait peu.

En public, il se renfermait tout à fait. Nombre de chefs de la résistance eliédiste choisissaient d'accomplir le pèlerinage à la ferme, entre deux escarmouches meurtrières, afin de jurer fidélité au fils de leur héros. Par la même occasion, ils promettaient de ne jamais révéler son existence. Tous contemplaient le petit garçon bouche bée. « C'est lui… C'est tout lui… C'est bien lui… », murmuraient les hommes, découverts, la casquette gavroche contre le cœur, un genou à terre. Ils cherchaient dans le moindre geste de l'enfant la réapparition miraculeuse du fantôme du père, auquel ils avaient consacré leur lutte et donné leur vie. Pas un n'aurait douté qu'Eliedinho deviendrait leur leader, le temps venu. Lorsque les troupes le verraient surgir adolescent, un beau jour, la partie serait gagnée contre l'État.

Gêné, Eliedinho demeurait immobile, assis sur une chaise en osier devant les hommes qui sentaient la sueur et le sang.

Rien que la tranquillité et la compagnie de sa vieille ourse à lunettes – c'est ce qu'il désirait. Les jardins de la ferme, dans l'oasis construite par les résistants près du dos de la baleine, regorgeaient de palmeraies et de vergers ombragés, derrière l'immense grange où les ouvriers entassaient le peu de grain en provenance des champs lointains. Chaque après-midi, profitant de son bon de sortie d'une heure seulement, Eliedinho tapait avec une balle en cuir contre le mur à colonnade de la grange. Puis il se perdait dans la petite vigne et jouait à cache-cache avec son ourse, assise à l'entrée des rangées cultivées, humant l'air et surveillant les alentours. Et aux quatre coins du vignoble, derrière chaque arbre, un homme armé, fumant son tabac, gardait un œil sur le premier enfant de ce monde, qui venait d'avoir dix ans.

Les rêves d'Eliedinho n'avaient rien de guerrier.

Il aurait aimé être explorateur. Comme le légendaire David Hale Browser. Eliedinho avait la tête dans les étoiles de la constellation d'Orion, rêvait d'espaces infinis, de planètes, de vaisseaux, de solitude et d'espace noir et profond. Au creux de son lit sculpté dans un tronc de vieux chêne vert, il parlait d'autres galaxies à son ourse qui le veillait toute la nuit. Durant sa petite enfance, il s'était trouvé confiné dans une grotte humide, puis dans un grenier, un agadir fortifié dans le désert, et enfin dans le corps de ferme ; il n'en sortait qu'une heure, la journée, avant de retrouver tante Anita qui lui faisait la leçon – et Eliedinho était mauvais élève, n'avait de talent ni pour les mots ni pour les nombres. À peine savait-il tenir convenablement en main un crayon à papier ; en rêvant, il regardait par la fenêtre les contreforts de la montagne bosselée.

Parfois, Anita quittait la ferme quelques jours, sur sa

Mécanique usée, passait par le corridor de pierre grise et s'en allait à travers la plaine aride, sous la lumière jaune paille du soleil. Alors Eliedinho, seul avec son ourse, se morfondait des heures entières, entouré de soldats craintifs et prévenants, qui osaient à peine le toucher pour lui apporter de quoi manger. Il essayait de deviner dans les taches jaunes, sur le museau, la gorge et les joues de l'ourse le dessin des continents d'une planète lointaine. Lorsque Anita revenait, il la harcelait de questions sur le monde, et elle lui parlait de Browser, des Excentriques, de Carnaval, du vieux Raúl, mais jamais de son père.

Puis, demeurée seule au rez-de-chaussée de la ferme, dans la cuisine qui sentait le lilas, Anita essayait de tenir ses comptes sur un boulier. Mais elle perdait la mémoire, confondait les noms et les visages, peinait à assurer les charges de gestion, d'entretien de la ferme. D'autres chefs résistants, plus vigoureux et mieux entourés, avaient pris l'ascendant sur elle auprès des troupes locales.

Même l'ourse de l'enfant s'affaiblissait ; elle approchait des vingt-cinq ans. Lorsqu'elle la regardait dans les yeux, après lui avoir rempli sa gamelle d'herbe, elle croyait l'entendre grogner derrière ses lunettes : « Qui s'occupera de lui après nous ? » Et l'ourse, qui avait des rhumatismes, mangeait une patte repliée contre l'aine.

Anita avait appris que les corps d'armée d'Elias approchaient des grandes plaines et, comptant et recomptant les effectifs à sa disposition dans l'oasis, elle ne dépassait jamais la centaine – ce qui était bien trop peu. Un beau matin, à contrecœur, elle convoqua les principaux chefs de guerre, les plus fidèles et les plus modérés, qui avaient pris de l'importance de ce côté-ci du bras de mer. Elle habilla Eliedinho en vert et en jaune, costume d'arlequin. Elle le jucha au sommet des marches du perron de la ferme et fit venir à lui les hommes. Tête baissée, ils gardèrent le silence. Elle leur fit jurer d'assurer la protection de l'enfant – en échange de quoi ils auraient tout loisir de profiter de la ferme et des champs environnants. Eliedinho renifla, puis éternua. Rhume des foins.

Tous promirent, et Anita perdit la main sur le domaine.

Très vite, des régiments abîmèrent les vignes, qui furent infectées par des spores après les pluies et développèrent un mildiou mosaïque, zébrant les feuillages de lésions jaunâtres ; puis ils salirent la grange, dans laquelle on installa des dortoirs de fortune et qui servit aussi d'écurie. Anita se replia avec l'enfant au premier étage de la ferme, depuis les fenêtres de laquelle elle voyait les Mécaniques rafistolées en travers des chemins, piétinant les grands magnolias, les résistants abattant les noyers et les arbres recouverts de mousse espagnole, pressés de reconstituer les stocks de bois de cheminée en prévision de l'hiver qui revenait.

3
Sur le front

Sur les terres de Carnaval qu'il connaissait bien, Elias était devenu un chef de guerre impitoyable et respecté. Son visage fuyant comme un museau de musaraigne paraissait vissé à son âme par des yeux métalliques, au creux d'orbites profondes, sous un front bas. Toujours vêtu d'une côte de mailles et de pantalons bouffants couleur rubis, il haranguait ses troupes et chargeait le premier. Un combattant aux muscles puissants, à la détermination sans faille. Qui n'aurait pas abandonné un seul de ses hommes. Qui n'aurait pas accordé sa grâce au plus méritant de ses ennemis. Qui se faisait réveiller en pleine nuit, glissé dans un sac à viande, pour prendre son quart dans les pelotons d'exécution empalant les prisonniers. Il avait sa part aux tortures. Avait lui-même subi le feu des résistants. Captif puis échappé, en avait gardé de longues cicatrices sur le torse, un testicule en moins et la bouche tordue.

Il s'était découvert guerrier. Excellent stratège. Il avait entrepris de spécialiser les corps d'armée. De disposer d'éclaireurs – dont il avait pris le commandement personnel –, d'unités de logistique, d'un contingent résistant au froid pour la montagne, d'un autre endurant la chaleur pour le désert. Il boutait le feu aux villages, exigeait de ses troupes qu'elles violent les femmes, qui étaient des armes potentielles pour la politique nataliste. Il avait peu de goût personnel pour ces activités, et la perte d'une part conséquente de son engin reproductif le condamnait à une sexualité sans intérêt stratégique. Mais il ne manquait jamais de regarder ses hommes à l'œuvre et les rassurait à l'occasion sur sa propre virilité, en entassant quelques prises sous sa tente pour la nuit, avant de les tuer au matin.

Elias avait mis en place un système de renseignement actif, qui lui avait permis de dresser les premières cartes exhaustives des territoires traversés. Grâce à lui, bienfaiteur des géographes et des géologues, la connaissance des minerais s'améliora considérablement ; le sous-sol fut exploré avec minutie et l'armement de l'État devint plus léger, plus efficace et plus résistant que celui de l'ennemi. Par son réseau d'agents, de voyageurs, Elias eut vent de l'existence d'Eliedinho. Le fils du prophète l'obséda bientôt – il était la clef du conflit et l'ultime trophée qu'Elias pouvait espérer remporter.

Lorsque son corps d'élite lui sembla suffisamment fourni, il manœuvra vers le corridor dans le dos de la baleine. Après quelques journées de marche forcée, la colonne se heurta à l'entrée de la vallée à un bon millier de résistants sans uniforme qui occupaient les crêtes, les hauteurs des rochers. Alors les soldats d'Elias reçurent l'ordre de se disperser dans la plaine et de se déplacer constamment, afin que leur nombre, depuis le sommet du dos de la baleine et dans la poussière, en fût comme multiplié. Il donna l'illusion d'un siège. Puis il planta son camp à quelque distance de là – et réfléchit.

À mesure que les terres autour de la ferme s'étaient appauvries, l'ourse d'Eliedinho cherchait son herbe toujours plus loin de la demeure, dans les quelques coulées vertes sur le dos de la baleine de pierre. Après l'avoir aperçue de loin en loin, Elias fit disperser dans l'air des graines d'espèces de plantes nuisibles, chaque fois que le vent tournait dans la direction des contreforts montagneux.

L'herbe-aux-ours vint à manquer. Et lorsque la bête n'eut d'autre solution que de s'aventurer dans la plaine pour se nourrir au soir tombé, Elias en personne empoisonna les racines, les faines et les châtaignes à sa disposition.

Puis il répandit dans le pays, auprès des pèlerins et des voyageurs, la rumeur selon laquelle un médecin était réapparu – un homme de science capable de soigner. Vêtu d'un chaperon brun, une bourse emplie de graines et de plantes séchées, il traversa les grands marais. Depuis deux mois au moins, l'ourse de l'enfant était à l'agonie ; des résistants autour d'un feu de camp firent connaissance avec le médecin, qui guérit la brûlure de l'un d'entre eux à l'aide d'un onguent. Ils le conduisirent jusqu'à la ferme, où il fut immédiatement présenté à l'animal, sous les yeux de l'enfant inquiet.

Au lieu de guérir la fièvre de l'ourse, il lui donna une pâtée rose et gris qui l'affaiblit un peu plus et la paralysa tout à fait ; plongeant sans peur son bras dans la gueule écumante de l'ourse, le médecin lui arracha une incisive et s'en servit comme d'une arme de poing devant les résistants assemblés à l'étage de la ferme. Il attrapa Eliedinho par le poignet, posa la main de l'enfant contre sa table de chevet en noyer et la lui trancha d'un coup sec, à l'aide de la dent de l'ourse.

« Mère ! Mère ! Comme j'ai mal ! » hurla l'enfant.

Tenant l'enfant mutilé et bientôt évanoui contre lui, le médecin qui n'était autre qu'Elias fit remarquer aux soldats qu'il était seul en ce monde à savoir le soigner. Anita fit signe aux résistants de laisser aller Elias, le chaperon sali par le sang. Ainsi, il traversa victorieusement leurs rangs, portant dans les bras le fils du prophète, livide et laissant derrière lui une mince ligne rouge – que les résistants cessèrent de suivre lorsqu'elle les mena à la sortie du corridor, parmi les rangs de l'armée acclamant son général.

La nuit même, Elias cautérisa au fer rouge le moignon de l'enfant, qui criait. Et tous les partisans entendirent, à des kilomètres de là, le gémissement de souffrance du fils qu'ils avaient perdu. Anita crut devenir folle. L'ourse était morte. Menant son régiment vers le centre de l'État, Elias arrêta régulièrement ses troupes, recherchant dans les fourrés des plantes à quatre feuilles, des racines spiralées et des herbes rares, qu'il broya entre ses paumes lavées à l'eau claire, avant de les déposer sous la langue d'Eliedinho entre la vie et la mort.

Un soir dans le désert, Elias toucha le front du gamin endormi, le bras en écharpe, et il sentit que la fièvre était tombée.

L'enfant était tout à lui, la résistance anéantie.

4
Shelly & Lyla

Dans le Casse-Tête, deux jumelles étaient nées : Shelly la blonde, Lyla la brune. Depuis les premiers jours, alors qu'on ne parvenait pas encore à les distinguer, elles ne s'entendaient pas, comme le jour et la nuit. Ce que Shelly avait,

Lyla le voulait ; ce que Lyla trouvait, Shelly le cherchait. Il fallut les séparer, chacune sous une tente différente, et les deux jumelles ne se croisèrent plus que pour leur toilette à l'aube, dans l'eau sale des lessiveuses, à quelques pas du Casse-Tête.

Au fond de cet amas de métal, Andred s'abrutissait. Chaque matin, il en sortait pour marcher parmi le petit peuple des tentes. Il ne croyait plus à la fonction du Placard vide que comme à celle d'un Dieu colérique et méchant ; le vieux bénissait ceux qui voyaient encore en lui un symbole de pouvoir, passait le reste de son temps à se plaindre du froid, enveloppé dans des zibelines, les doigts arthrosés de bagues de fer et le visage creux.

Son dernier plaisir était de regarder et de toucher les enfants.

Le matin où Andred tomba sous le charme de Shelly, en nattes blondes, qui jouait les genoux dans le bac d'eau de lessive, le visage parfaitement blanc, il avait tendu la main vers elle et c'est Lyla qui lui avait mordu les doigts. Il ordonna qu'on lui coupe les cheveux et qu'elle ne soit pas lavée durant quinze journées. Shelly fut brossée, peignée et parfumée ; Lyla garda la peau mate et olivâtre.

Après avoir officieusement adopté Shelly, Andred se prit de fascination et de haine pour sa sœur. Shelly était une petite fille blonde à l'air effarouché et aux yeux éteints ; Lyla avait en grandissant l'éclat de l'intelligence au creux de la demi-lune de ses pupilles. Andred avait peut-être fait le mauvais choix, mais il était trop tard : Shelly lui était douce, Lyla ne l'apercevait jamais sans lui planter entre les yeux un regard aussi dur qu'un couteau. Il se contenta de la seule Shelly.

Assis sur son trône, il observait la petite fille bavardant avec ses chiffons de toutes les couleurs, à la lumière du balcon. Elle avait appris à n'avoir plus peur de lui. Shelly lui rendait visite deux ou trois heures par jour, accompagnée par un garde. Il faisait froid mais Shelly portait un pull tricoté par les brodeuses du faubourg. Elle trouvait Andred vieux et dégoûtant. Des poils dans le nez, une peau de serpent, les dents jaunies. Elle retenait sa respiration et faisait bonne figure tandis qu'il lui caressait le crâne, le menton, flattait sa peau douce ; enfin elle oubliait sa présence et s'amusait comme elle pouvait.

Lyla passait l'après-midi à débiter du mauvais cuir en lamelles, à l'attendrir dans de l'eau tiède, pour le donner à mâcher aux autres enfants, mal nourris. Puis elle étendait le linge rincé par les mères et triait les rebuts d'étoffe, avant de les redistribuer aux couturières du faubourg.

Quand Shelly considérait les journées de sa sœur, elle se disait qu'il était dans son intérêt de profiter des avantages que le responsable lui accordait. Ainsi apprit-elle le vice en même temps que la valeur de sa propre vertu. Plus il s'approchait d'elle, plus et mieux elle faisait l'innocente. Devenant presque pubère, elle put lire dans les yeux du vieux son pouvoir sur lui et comprit le trésor que lui avait offert la nature ; elle se fit économe et spécula sur les désirs de l'homme.

Shelly parvint à la puberté plus tôt que Lyla ; sa poitrine bourgeonna et des auréoles de sueur se dessinèrent sur les tissus, sous ses bras et autour de ses tétons. Lyla, mince, plate et glabre, semblait encore une enfant. Andred ne supporta pas de la voir sautiller entre les flaques, au milieu des tentes, en le narguant comme une petite fille. Il en fit cadeau à Elias.

Ainsi s'ouvrit le marché des esclaves, entre la ville et les campagnes où s'installa Elias avec son petit prisonnier.

4
Une éducation

La Nature était en plein changement.

Les îles devenaient en peu de temps des plateaux, au milieu de terres asséchées, et les montagnes devenaient des archipels – à mesure de la descente et de la montée des eaux. Comme un dessinateur multipliant les esquisses, les remords, gommant puis peignant couche sur couche, sans attendre que la couleur sèche, le paysage des rivières, des collines, des déserts et des forêts se modelait et se remodelait de lune en lune. Les masses titanesques de limon arrachées en à peine une année créèrent bientôt une campagne nouvelle, fertile, don du ciel, du sol et des eaux, tandis que le littoral vague avançait, reculait.

Elias avait élu domicile au milieu de ces champs hésitants avec Eliedinho. Il eut besoin d'esclaves par milliers afin de mener à bien la déforestation de la lande et des jungles pourrissantes ; logés dans des chambres au creux des falaises de craie, les nouveaux paysans défrichaient, désherbaient, sarclaient le sol, arrachaient la brousse épineuse, plantaient le blé, le millet et endiguaient les cours d'eau tortueux.

Sur des centaines, des milliers de kilomètres, il devint maître d'œuvre du pays ; arrivé de nulle part avec les bras de ses esclaves entre les mains, il parut répandre sur la terre les ouvriers comme des fourmis et les diriger du bout des doigts. Puis il construisit, on ne sait comment, une maison de la dimension d'une ville, qui sentait la glycine et la fleur d'oranger, et des granges, et des silos, et des verrières, et des routes. À mesure de leur élévation il en dessinait le plan, à même le sable parfois. Et comme l'enfant demeurait droit à son côté, une main en moins, il lui parlait.

Au bout de quelques mois, l'enfant parla à son tour.

« Est-ce que tu vas me tuer ? »

Elias dormait avec lui dans le hall d'entrée de sa maison, qui n'avait pas de toit, pas de fenêtres – un simple parquet et des murs cimentés. Il contemplait les étoiles.

« Je n'en sais rien. S'il faut le faire, je le ferai. »

Eliedinho avait une voix d'oiseau haut perchée. « C'est parce que mon père… ?

– Parce que ton père *quoi* ? » Et Elias bâilla. Il avait mauvaise haleine, mais ne disposait jamais la main en auvent devant sa bouche. Cette attitude révulsa Eliedinho, qui ne répondit pas.

« C'est comme ça. » Elias s'endormit.

Depuis leur arrivée, la jeune Lyla servait d'esclave personnelle à Elias et couchait avec lui. La nuit, il arrivait qu'Eliedinho, sur une simple natte au pied de leur couche, ouvre les yeux ; il apercevait les pupilles brillantes de la petite fille qui le fixaient dans l'obscurité.

Il avait essayé de se lier d'amitié avec Lyla, pourtant elle restait muette et lui obéissait sans jamais jouer avec lui. Il regrettait l'ourse et espéra chevaucher la fillette comme son animal, se blottir contre elle et la nourrir de la même manière. Mais dès la première tentative, elle lui fit peur.

Elias ignorait tout à fait la gamine, ne lui prêtant pas plus d'attention qu'au marteau ou aux clous dont il se servait afin de monter la charpente de sa résidence. Alentour, la Nature avait atteint un état de relative stabilité et le domaine croissait et prospérait avec l'aide d'anciens soldats d'Elias, qui avaient pris sous leurs ordres des légions d'esclaves achetées au Casse-Tête. Alors Elias contempla son œuvre et il fut presque satisfait.

Le lendemain, il lui prit l'envie d'éduquer Eliedinho.

Il avait travaillé du lever au coucher du soleil, dans la chaleur et sous la neige ; il sentait dans ses muscles et dans ses mots le prix du travail, et l'âge qui venait, lentement.

Il s'assit à côté de l'enfant, lui expliqua des milliers de choses à la fois, sans ordre et sans patience, en traçant des schémas dans le sable. L'emmena avec lui sur une vieille Mécanique, lui apprit à lire les formes d'un paysage : à quoi s'attendre derrière une colline, vers quel terrain conduisait tel ou tel cours d'eau. Ne pas se faire prendre. Guetter la réalité, s'en jouer et la détourner à son profit. Ainsi avait-il remporté toutes les guerres. Avec les hommes, il n'en allait pas différemment de la Nature, des fleuves et des collines. Il fallait calculer.

Lyla leur servait la soupe et le pain, en silence, pendant qu'Elias reprenait à l'aide d'un bâton de noisetier dans la poussière du sol jaune et limoneux son éducation.

Elias avait tracé dans la terre un carré.

« Donne-m'en un dont la surface comptera pour le double », dit-il.

Eliedinho baissa la tête. Il n'aimait ni les nombres ni la géométrie.

« Le double de celui-ci », répéta Elias en le frappant sans violence contre les côtes, à l'aide du grand bâton.

Et Eliedinho hésita, s'empara d'un branchage et prolongea deux côtés adjacents du carré, les doubla, pour construire avec maladresse un parallélépipède non pas deux mais quatre fois plus grand. Ce que lui fit remarquer Elias, en buvant la soupe aux orties.

Mais une heure passa sans qu'Eliedinho comprenne son erreur. Elias la lui montra, il ne vit pourtant pas. Il le frappa aux oreilles et lui mit le nez dans la terre, tout contre le carré. Eliedinho dessina un rectangle de deux fois la longueur du carré initial ; puis un grand carré qui comprenait le petit, approximativement ; enfin deux carrés.

Alors Lyla l'esclave ramassa les bols d'argile et se planta devant le maître en disant : « Moi, je sais. » Du bout du doigt la fillette à la peau brune, tannée, les cheveux courts, traça la diagonale du premier carré et les trois autres côtés du carré deux fois plus grand.

« Comment le sais-tu ?

– Je me souviens qu'on savait ça, avant.

– Quand ?

– Avant l'Éternité de Browser.

– Tu connais l'Histoire ? »

Elle en avait entendu parler, entre autres légendes..

Au fils, la bouche ouverte et les yeux vides, Elias n'accorda plus un regard. La nuit même il fit descendre l'esclave sur la natte d'Eliedinho et congédia celui-ci.

« Dès demain tu iras à la forge. »

5
Forge

Durant toute son adolescence, Eliedinho abandonné par son père adoptif apprit le métier dur et dégradant des forges.

En grandissant, Eliedinho n'avait pas épanoui sa beauté d'enfant. Il était malingre, et sa peau ingrate. Parmi les ouvriers, on le détestait : privilégié, à la fois enfant de l'ennemi et fils adoptif renié par le maître, sans grâce et sans force. Il n'eut jamais de camarades.

Sa fonction consistait à maintenir droites les barres de métal destinées à être forgées. Il peinait à les stabiliser, dans la chaleur et sous le bruit. Au déjeuner, on piétinait toujours par inadvertance sa gamelle. Alors il avait faim. On savait qu'il ne dirait rien. Parce qu'il n'avait qu'une main, les gestes simples de son métier lui imposaient une gymnastique deux fois plus complexe qu'elle n'était pour les autres. Eliedinho soulevait le métal brûlant avec des pinces et des gants, mais n'ayant qu'une prise, il connaissait les pires difficultés.

Les enfants nés après lui et qui avaient pris le chemin des forges s'en moquaient ; ceux qu'on appelait Tom et Luis, inséparables, faisaient partie du syndicat et ne supportaient pas sa compagnie dans le fourneau. Comme Eliedinho avait peur de la confrontation, il se comportait devant eux comme un lâche, leur donnait raison et ramassait son sac à quatre pattes lorsque Tom et Luis le faisaient choir – une fois, deux fois, trois fois. Luis le surnommait « gros cul », parce que Eliedinho avait hérité de la morphologie de sa mère, et Tom, un beau garçon brun, fringant, aux cheveux bouclés, passait chaque matin son poing dans la chevelure de « gros cul », pour lui en arracher une mèche et la brûler. Le cuir chevelu d'Eliedinho était fragile, soumis aux irritations dans l'atmosphère fuligineuse des forges, et un eczéma douloureux s'étendait de la nuque aux oreilles du premier né d'entre eux.

Agacé par l'asthme et la maladresse d'Eliedinho, Luis s'emporta un jour contre lui, le bouscula, et l'autre posa dans la panique son moignon nu sur la lame chauffée à blanc. Le bras couvert de cloques, il fit l'effort de ne pas s'évanouir, mais les résidus pulvérulents du gueulard, qui vinrent se coller contre la plaie, l'infectèrent dans l'après-midi et il s'effondra aux pieds de Tom. On conduisit Eliedinho là où il avait sa place, parmi les femmes, sous les tentes blanches des faubourgs. Il y rencontra ce jour-là Shelly, la fille chérie d'Andred, qui changea sa vie.

La journée, elle s'occupait de l'infirmerie – ou faisait

mine de le faire. Shelly avait quelque chose de beau et de vicieux à la fois. Eliedinho la regarda en silence ranger les paniers d'herbes classées par forme et par couleur. Une belle demi-journée. Alors, au soir, elle le releva du brancard et l'accompagna jusqu'à la sortie des tentes. Elle le prit par le cou, l'embrassa avec la langue, violemment. Ils étaient de la même génération. Puis elle se détourna l'air de rien, en disant : « Reviens la semaine prochaine. »

Moqués, rejetés par tous les autres, ils s'entendirent d'instinct, sans se parler ou presque. Et se reconnurent l'un dans l'autre. Il lui apportait des bouquets de jonquilles, qu'il cueillait à la pause de midi mais qui fanaient dans la chaleur du fourneau tout l'après-midi. Tout au plus, il aurait désiré lui prendre la main et penser à un monde où les anciens, les Andred et les Elias, disparaîtraient enfin.

Shelly était une fille d'apparence étale, mais troublée dans les profondeurs. Elle n'aimait pas parler. Très vite, au troisième rendez-vous, elle baissa le pantalon d'Eliedinho dans l'ombre et monta sur lui. Eliedinho fut emporté par son souffle, mais incapable de comprendre ce qui se passait. Elle serra la tête du jeune homme contre ses seins. Il finit par se libérer, avec un cri de petit garçon.

« Tu fais ça avec lui ? »

Elle bâilla. Depuis longtemps, l'acte ne lui procurait plus aucun plaisir.

« Je voudrais le tuer. »

7

La déception du père

Le soir même, la fille débarqua en pleurs chez Andred.

« Qu'y a-t-il, mon enfant ? »

Les sanglots l'étouffèrent.

« Le fils d'Elias… »

La jalousie plana sur le front d'Andred.

« Ah, le fils d'Eliedo. »

Il haïssait les nouveau-nés et ses cauchemars étaient peuplés des plus jeunes, de leur peau ferme et de leurs yeux clairs, dans lesquels il pouvait lire l'heure de sa propre mort, le compte à rebours fatal qui cliquetait dans le cerveau de tous les adolescents avides de prendre sa place.

« Hé bien, ce jeune imbécile ? »

Shelly esquissa des lèvres un geste également coquet et obscène. Puis regarda ailleurs.

« Mettez-le au Placard. Pour moi. »

Misérable Andred, les mains tremblantes.

« Je… je ne peux pas… Il est le fils d'Elias. »

Elle échappa aux doigts du vieillard et enfila ses chaussons.

« Alors, tant pis.

– Attendez…

– Est-ce que le Placard ne vous appartient pas, mon père ? » Et elle minauda.

« Si. » Il courba l'échine. « Apportez-moi sa Console. » Il ne pouvait supporter plus longtemps le froid et le corps lointain de la jeune fille, qui s'étira. « Maintenant.

– La voici. » Elle l'embrassa et poussa du pied l'objet qu'elle avait caché sous la table couverte d'une lourde nappe brodée d'or.

Andred faisait face au Placard, qui avait noirci et perdu de sa patine, en fourrure de cérémonie. Il avait presque oublié les mots d'usage, marmonna quelques phrases inaudibles, chercha les gestes – la poignée lui résista.

Le Placard n'ouvrait que sur du noir dans la pièce déjà sombre ; il ne se passa rien.

Dépitée, Shelly maugréa : « Alors ? »

Il toussota.

« Je... Je ne sais plus comment faire. »

Shelly claqua deux fois des doigts.

Eliedinho sortit de sous la table à la nappe dorée, un rictus creusant sa peau boutonneuse. Après avoir trompé la garde personnelle d'Andred, il s'était glissé dans les appartements par le balcon. Il regarda la vieillesse avec rancune et sans pitié. Puis Shelly et lui saisirent à pleines mains les testicules du vieux et le traînèrent jusqu'au Placard. Andred pleura. Ils refermèrent la porte du Placard contre ses parties, qui s'en allèrent au néant.

Ils éclatèrent de rire.

Toute la nuit ils demeurèrent en compagnie du vieil Andred castré, à l'agonie. Burent dans ses coupes d'apparat, mangèrent son repas. Se glissèrent dans son lit trop chaud, firent tomber à terre outres, couvertures, chauffe-pieds et brocarts. Ils firent l'amour devant lui, qui se traînait à grand-peine sur le tapis épais en laine, au pied du lit.

Au matin, ils abrégèrent son agonie, le balancèrent dans

le Placard sans plus de cérémonie. Shelly se lova dans les bras du petit Eliedinho et lui dit : « Je t'aime. »

La nouvelle se répandit que l'ancien temps était révolu. Andred avait disparu. Lorsque Elias l'apprit, il pesta, quitta la campagne pour ramener l'ordre au Casse-Tête et déclarer la dictature. Aimant plus que tout la tranquillité de sa retraite dans les champs, il ne désirait pas s'asseoir sur le trône du vieil Andred. Alors il convoqua Eliedinho.

« C'est toi qui as buté le vieux ? »

Eliedinho l'admit. Elias le gifla.

« À ta place, j'aurais menti. Tu n'as pas de fierté. »

Il fit silence et observa Eliedinho.

Le garçon ne ressemblait plus guère à son père, tel qu'il l'avait entraperçu lors de son exécution. De fortes pommettes, pas de mâchoires. Le produit d'un autre temps, d'une autre génération, où l'on ne partagerait pas le sens de l'honneur, l'odeur du sang et la nature animale de l'homme. Une génération qui le vouerait aux gémonies le jour où Elias mourrait, pour fonder une autre civilisation, sur les fondements de ce qu'ils croiraient être la culture. Ils rejetteraient tous de leur mémoire la vérité et la violence des pères qui avaient forgé le monde où ils vivraient désormais à leur aise, comme des femmes. Les pleutres auxquels ils avaient donné naissance leur enfonceraient la gueule dans l'oubli et se riraient d'eux bien à l'abri, comme des lâches. Nature était ainsi faite. Des hommes plus mous, moins violents – tous auraient peur de la conséquence de leurs actes.

Elias soupira.

« Je te confie la direction de la forge et des tentes. Tu t'occuperas des ouvriers et de l'industrie. »

Nulle gloire à cela. Les pères sont des bâtisseurs d'empire, les fils des gestionnaires de patrimoine, et l'histoire est une chute de l'exceptionnel dans l'ordinaire.

Elias contempla dans le ciel sombre les fumées grises de tout ce travail de moins-que-rien : les pitoyables hommes à venir, condamnés à être moins que nous. Était-ce notre faute ?

8
Décade

Dix ans passèrent, l'État était cassé en deux.

D'un côté, les grands propriétaires se partageaient tous les territoires des Provinces, en employant dans leurs fermes une foule d'esclaves. À la charge des élites locales, l'armée protégeait les Provinces et matait les révoltes réclamant l'abolition. La quasi-souveraineté des exploitants était garantie par un code d'honneur oral, dont dépendait tout un système administratif et fiscal. Dans chaque domaine agricole, un délégué seigneurial à la gestion de la terre, un responsable de la mémoire des paroles données – qui remplaçaient les contrats –, un contremaître, un chef de maisonnée assistaient le seigneur tout-puissant en ses terres. La diffusion des outils en métal et la redécouverte de techniques agricoles, associées à l'exploitation d'une main-d'œuvre non payée, avaient permis d'accroître considérablement la productivité, à la mesure de l'augmentation affolante des bouches à nourrir. D'abord destinés à la domestication du buffle à eau dans les rizières et du bœuf de trait dans les champs secs, les premiers élevages conduisirent les élites à apprécier le goût inédit de la viande. Bientôt, les seigneurs enhardis ne payèrent plus qu'au prix faible le métal de l'État et montèrent à cheval.

De l'autre côté, la police dirigée par Eliedinho et sa femme Shelly régentait les grandes forges et les campements des tentes blanches. Le responsable Eliedinho avait jadis été un homme bienveillant, mais d'un caractère si incertain qu'il était devenu un tyran capricieux. Incapable de fixer ses propres désirs, il se lassait des orgies, s'ennuyait aux exécutions, n'honorait pas les jeunes filles à son service et perdit même le goût de Shelly. Dans les proclamations souvent incohérentes qu'il faisait publier à l'intention du peuple transparaissait tout à la fois son amertume et son espoir d'améliorer le sort de gens dont il aurait aimé faire partie. La hâte avec laquelle il rendait la justice trahissait sa versatilité et finalement son impuissance. Devenu chauve, le crâne rougi par les problèmes de peau, il grossissait alors même qu'il mangeait avec parcimonie et sans appétit.

Sa femme, Shelly, n'avait cessé de gagner en beauté ce qu'il avait perdu en désir. La bouche petite, les yeux légèrement bridés, les pommettes hautes et le trait des bajoues lui dessinant une expression de tristesse éperdue, elle commandait les faubourgs. Ses yeux maquillés, aux sourcils arqués comme les ailes d'un papillon tête-de-mort, étaient plus impérieux encore que ses ordres. À son sujet, les rumeurs n'étaient jamais flatteuses. Probablement fausses, ces histoires condamnèrent son nom à l'infamie.

Enfermé dans le Casse-Tête en proie à la surpopulation, la disette et l'arbitraire de son pouvoir, Eliedinho marchait parfois la nuit, entouré par vingt gardes armés ; il lui arrivait de rechercher l'approbation d'un passant qui s'attardait, de lui demander avec fièvre son amitié.

Et les hommes et les femmes, pétrifiés par la peur, la lui promettaient.

Bien souvent, une semaine après, ils étaient condamnés.

8

Colloque sentimental

« Comment vas-tu ? »

Il fait asseoir Anita, âgée.

« Tout va bien.

– Eliedinho, je me fais du souci pour toi. Qu'est-ce que tu es devenu ? »

Il pose ses lunettes à monture d'écaille sur le bureau, se pince l'arête du nez entre le pouce et l'index. Fatigué. Seules des formes floues passent encore devant lui, lorsqu'il regarde.

« Parle-moi de lui.

– Ton père ? Oh, il y a longtemps… »

Eliedinho se laisse glisser au fond du siège de cuir, dans

ses appartements solitaires. Et il se renferme en boule comme lorsqu'il était petit. Il est large et mou ; il secoue la tête, en signe de dénégation d'on ne sait trop quoi. Dans le vieux bureau chauffé, l'ombre de l'enfant qu'il a été entre et sort fugitivement du champ de vision d'Anita. Mais les spectres n'existent plus.

« Est-ce que tu te souviens ?

– Peut-être », sourit la vieille dame, le visage ridé envahi par les taches de rousseur d'antan, « mais pas très bien. » Ses lèvres sont sèches. « C'est le passé. »

Les yeux vides, Eliedinho sanglote.

« Est-ce que tu m'aimes encore, toi ? »

Anita, les cheveux gris coiffés en chignon, se lève avec difficulté, pour l'embrasser et déposer son visage joufflu contre sa poitrine.

« Oh, mon enfant… »

La peau grêlée de la face d'Eliedinho est glacée. Il demande : « Que penserait-il de moi ? Suis-je mauvais ? »

Le cœur d'Anita se serre, bat plus fort. Elle s'humecte les lèvres et fait signe qu'elle ne sait pas.

« Lorsque j'étais jeune, je croyais que je serais l'héroïne. Maintenant, je sais qu'on m'oubliera.

– Pas moi », dément faiblement Eliedinho ; on perçoit à peine ses paroles.

« J'avais de l'espoir. »

Anita et Eliedinho ne bougent plus. Sur le seuil, seule Shelly les a entendus, revenue du parc, elle a bu et, lorsqu'elle regarde son époux dans les bras de sa mère, le regard qu'elle leur jette leur fait honte à tous trois.

Bientôt, pense Shelly, nous serons les perdants de l'histoire.

9
Troïka

Quelque part dans l'Est, Tom, Luis et Lyla ont fugué.

Disparus du Casse-Tête, ils font le tour du pays pour préparer l'insurrection. Mandatés par le syndicat, les ouvriers Tom et Luis ont accepté d'être guidés par l'esclave Lyla, qui s'est échappée de son domaine.

Lyla sent toujours bon. Devenue adulte, elle porte les cheveux noirs au carré, souvent mal ordonnés par une barrette ou relevés par un bandeau, afin de dégager ses tempes et son front. Elle a la peau mate, les épaules étroites, la nuque fine et les yeux exigeants. Depuis quelques jours, elle guide Tom et Luis dans l'arrière-pays des Provinces. Sur les terres entre les deux grands fleuves, les masses de limon arrachées aux plateaux de terre jaune avaient béni le sol alluvial, fertile et nappé d'un lœss, fine poussière d'argile, de calcaire et de sable. Sur ce terrain les esclaves, construisant terrasse sur terrasse, avaient défriché d'immenses quadrilatères pour la culture du riz et du coton ; en moins de dix ans, le travail forcé avait donné au paysage des provinces, vallonné, débroussaillé et coloré, la beauté ordonnée d'un tableau de maître.

En passant par les bois, Tom, Luis et Lyla évitent les

chiens et les gardes armés des grands propriétaires. Il fait très chaud. Contournant les grandes demeures blanches qui sentent la noisette, marchant la nuit, à la lumière des rondes de lucioles près des arbres, autour des ruisseaux, ils prennent note pour le syndicat des conditions de vie et de l'état d'esprit des esclaves. Ils nouent des liens avec quelques cellules d'abolitionnistes, matées férocement par les troupes d'Elias.

Tom porte sur l'épaule un petit baluchon : un vieux drap de coton et un bâton noueux en frêne, avec une pointe d'acier couverte par un pommeau en corne, en cas de danger. Habitué aux forges du Casse-Tête, il contemple avec joie et innocence les herbes hautes, les libellules, les fleurs des prés, la terre jaune et le lilas des maisons riches. Il respire un air nocturne doux et sucré, guette les carrioles aux roues à rayons grinçantes, l'essieu mal huilé, parcourant des sentiers difficultueux, dans la campagne obscure découpée par la géométrie des enclos, des cours d'eau détournés, de petits châteaux en pierre de taille.

Assis sur un bloc de craie, il fume de l'herbe en attendant Luis qui pisse.

Lyla se tient debout près de lui, un bras maigre replié contre les côtes flottantes, se pressant le sein gauche, la tête inclinée, dans une attitude contemplative. C'est une fille très sympathique, mais très dure. Son visage a quelque chose de mathématique : il calcule sans cesse. Le rapport harmonieux entre son nez et sa bouche, le croissant de ses yeux au khôl et la découpe de son menton semble sans cesse tourmenté par une opération secrète. Tom lui jette un regard. Elle surveille les alentours. Tom sourit, jette la cendre de sa cigarette au vent : il n'y a personne, ici. En bras de chemise, haussant les épaules, elle s'excuse, se remet en mouvement, se frotte la peau cornée des coudes.

« On y va, les garçons ? Vous savez, les chiens repèrent l'odeur dans les propriétés. » Elle marche déjà trois pas devant eux, sur le chemin qui descend vers le champ noir de maïs. Dans l'ornière, une charrue abandonnée, encore chargée de paquets de graisse à courroie. « Après la rangée d'acacias, c'est le domaine d'Elias. » En tunique anthracite, large, découverte aux épaules, au-dessus d'un maillot de corps noir, les jambes en sarouel, les pieds chaussés de paille, elle crache. « J'étais sa préférée. Je l'ai trompé. Maintenant, je vis dans les champs et le chef de cellule s'appelle Atar. »

Comme elle glisse, Luis la rattrape, mais par peur de la toucher près des zones intimes la laisse choir dans la poussière du fossé.

« Eh ben, mon gars, t'as de la merde dans les bras. »

Elle s'époussette. Tom rit. Ils sont conduits par Lyla jusqu'à une grange en grès, construite en gros moellons, chapeautée par un pignon d'abbaye en tuiles plates, flanquée d'un appentis sombre, ouvert au vent, dans lequel elle leur indique d'attendre, assis sur le sol, paillé et crotté. Une cruche d'eau et trois quignons de pain.

« Pour vous. »

Puis Lyla part voir Atar.

Tom et Luis s'allongent, enlèvent leurs bottes en mauvais cuir et, les mains derrière la nuque, se reposent sans jamais fermer l'œil. Tom garde la main sur le pommeau en corne de son bâton. Lorsqu'elle revient, Lyla sent le savon ; elle s'est lavée. Joyeuse, elle ôte sa tunique dans la pénombre, son sarouel et ses chausses, s'enveloppe dans un drap jauni par la saleté et se laisse tomber de fatigue entre les deux garçons immobiles. Elle donne un coup de coude à l'un, un coup de pied à l'autre.

« On a rendez-vous demain soir avec Atar. Demain, on reste planqués. » Elle soupire, elle bâille. « Mille esclaves, ici. Dans le hangar. Pas de lits, rien au mur, douches au jet d'eau dans la cour. » Et elle s'interrompt, assommée de sommeil. Sans façon, elle croise les jambes sur celles de Luis et pose sa tête au creux de l'épaule de Tom, comme sur un oreiller. Elle touche à peine la paille.

« Contente que vous soyez là, les garçons. »

Elle parle encore et encore – mais elle dort. Ni Tom ni Luis n'osent esquisser le moindre geste, de peur de la réveiller. Ainsi ils restent plusieurs heures, contrôlant leur respiration, tandis qu'elle dort à poings fermés, radieuse, entre eux deux.

Au petit matin, le bruit des chiens, des dobermans récemment hybridés à partir de dogues et de greyhounds, qui faisaient le tour de la propriété, réveille Luis et Tom, qui craque une allumette pour éclairer l'appentis. Lyla lui effleure la main dans le noir.

« Surtout pas. Les esclaves sont marqués au parfum indélébile et les chiens sont dressés pour les reconnaître – ils ne feront pas attention à vous. Mais les hommes verront la lumière. » Elle serre la main de Tom pour lui faire toucher du doigt le jour dans le mur de planches qui obstrue l'entrée de la grange.

« Et toi ? L'odeur ? »

Les dobermans passent le long du bâtiment, puis ils s'éloignent.

« À la puberté, le pénis des hommes et l'utérus des femmes est couvert par les contremaîtres d'une substance collante, comme du miel, qui leur communique un parfum pour toute la vie. C'est une odeur répugnante : les esclaves eux-mêmes ont de la peine à se sentir le sexe. Les chiens les repèrent à cent mètres, les hommes à une dizaine de pas. »

Alors Lyla relâche le bras de Tom, caressant doucement sa paume dans l'obscurité.

« Pour s'évader, il faut se faire racler la peau, les muqueuses. C'est une opération qui dure une semaine. On a la fièvre, on délire. Il est très difficile de rester caché pendant tout ce temps. Il faut boire de l'alcool, certains ne survivent pas. On devient stérile. »

Tom s'éclaircit la gorge, ne sachant trop quoi dire. Luis baisse la tête. Blottie entre eux deux, Lyla se rassoit une fois le danger passé. Elle sent encore bon les fleurs des champs, le savon et l'eau du torrent, en dépit d'une nuit de sommeil.

« Les hommes sont castrés, les femmes ne peuvent plus avoir de rapport sexuel. »

Luis siffle : « Salauds... »

Elle éclate de rire. « Ah bon, pourquoi ? Tu étais intéressé ? » Et Tom peut imaginer la mine que fait son compagnon.

« C'est Atar qui m'a opérée », dit Lyla.

Se roulant un peu d'herbe séchée, au petit jour, Tom secoue la tête : « Là-bas, en ville, on ne sait rien de tout ça. » Il fouille dans sa poche en quête d'une nouvelle allumette. Lyla arrête son bras. « Chut. Pas de lumière, pas de feu, pas de fumée. » Et elle camoufle le jour de la porte avec une couverture en laine. « Quand Atar viendra, vous lui promettrez l'appui de la résistance. Vous lui promettrez les armes, les uniformes et les hommes qu'il demandera. D'accord ? »

Tom fait rapidement signe que oui.

« Il fait sombre. Dis-le.

– D'accord, je promets. »

Luis ajoute : « Je le jure. »

Alors Lyla semble soulagée. « Merci… » Mais elle ne cesse pas de se gratter.

« Qu'est-ce qu'il y a ?

– La paille me démange. »

Luis la soulève, elle est légère, et il s'allonge à côté de Tom, adossé contre une poutre ; puis il fait s'asseoir Lyla sur son gros ventre velu et pose avec délicatesse les pieds nus de la jeune femme sur le torse nu, glabre et musclé de Tom, qui a chaud.

Elle dit : « Je vous aime tous les deux. »

Même à l'ombre de la grange, l'air de l'après-midi est étouffant. En sueur, Lyla se met torse nu comme les deux autres. Tom devine avec difficulté la forme de sa poitrine. La cruche est vide. Ils se taisent, les lèvres sèches, et économisent leurs mouvements. Luis pense aux esclaves qui travaillent dans les champs par ce temps.

Enfin, Atar arrive.

C'est un très beau petit homme aux yeux bridés, aux cheveux courts, aux vêtements amples et qui pue. Assis en tailleur, les mains cachées dans des manches trop larges, il se montre courtois et direct. C'est un homme de la nouvelle génération. Constatant que Lyla se porte garante des deux représentants mandatés par les conseils de la résistance de la ville, Atar incline la tête, les remercie d'une simple formule de politesse, puis passe aux détails techniques.

Après la discussion lorsqu'ils se trouvent de nouveau tous les trois, dans les buissons, le visage éclairé parfois par les rondes des lucioles, au dos de la grande demeure qui sentait la glycine, entendant au loin les aboiements des dobermans, Tom veut prendre à part son compagnon :

« Luis... Allons-y tous les deux... »

Mais Luis, qui vient d'enfiler sa chemise, dans la fraîcheur de l'air nocturne, lui répond qu'on n'a plus le temps. En le serrant fort contre son corps robuste, qui sent la transpiration, le travail de force et les années de Forge, Luis lui demande de rester avec Lyla, de la protéger à tout prix et de coordonner le soulèvement des Provinces. Il se chargera du Casse-Tête.

Lorsqu'elle lui dit au revoir, Lyla lui passe la main dans les cheveux, qu'il a rares. Puis elle se retourne, remonte le chemin vers les champs de maïs, et Tom, en fumant un peu d'herbe séchée, regarde son ami s'enfoncer dans l'arrière-pays et disparaître dans la nuit.

10
Le dernier seigneur

Le dernier grand seigneur possédait la plus grande ferme et dirigeait la fédération de ses pairs. Mais l'administration avait eu raison de lui.

Parfois, il pensait encore à Eliedinho et au tyran que ce vieux gamin était devenu ; il restait peu de temps. Bientôt l'État tomberait, les syndicats étaient puissants et le maître affaibli. De nouvelles générations arrivaient.

Elias avait aujourd'hui les cheveux gris et il ressemblait à une fourche rouillée plantée dans la terre meuble. D'une cruauté toujours très stricte avec ses esclaves, il consacrait l'essentiel de son temps libre, lorsqu'il ne présidait pas les tournois de ses cavaliers, ne menait pas les débats de tribunaux tranchant les différends entre grands propriétaires, à se promener parmi les clairières de son domaine qui sentait la glycine, en reniflant à la recherche de l'odeur de celle qui l'avait abandonné. Puis il revenait s'enfermer dans son petit bureau, pour coucher sur le papier ses mémoires et leçons.

Elias, un matin, s'était souvenu qu'on pouvait se souvenir. Écrire. Après Browser, l'idée avait été abandonnée. La mémoire. Depuis la chute du Chalet, peu à peu, certaines réalités disparaissaient et d'autres advenaient qui n'avaient encore jamais eu lieu. Elias sentit la nécessité de conserver ce qui s'en allait, de résister à ce qui venait. Le temps des héros était fini. Pathétiques, les nouveaux guerriers à cheval qui mangeaient de la viande et se prévalaient d'un code d'honneur d'une complexité toute féminine ; Elias n'avait que mépris pour cette caste dégénérée. Il préférait se retirer sur ses terres, réunir des documents de comptes et de statistiques, réfléchir à une économie, penser à la valeur des choses, la possibilité d'une monnaie, mesurant les avantages respectifs du métallisme et du cartalisme, et des taux d'intérêt des emprunts – en lieu et place de la parole donnée, qui n'était plus qu'une escroquerie grimaçante entre personnes qui n'avaient de la noblesse ni le nom ni le passé. Elias prenait des notes sur le droit et la raison, chaque matin. On le lirait un jour ; pour l'heure une seule personne, esclave de naissance, était parvenue sous ses ordres à apprendre le déchiffrage des signes du nouvel alphabet qu'il avait mis des mois à concevoir.

Le seigneur demandait tous les soirs à une dizaine d'esclaves de se réunir dans ses salons de bois noir. Il s'asseyait dans un fauteuil toilé, sirotait un alcool doux, avec du sucre de canne. Attendait que les esclaves chantent leur peine. Les esclaves avaient redécouvert la musique, le maître redécouvrait l'écriture. Porté par la tristesse infinie et l'espérance de ses hommes, Elias se sentait inspiré.

Et, bercé par leur voix, il écrivait ses mémoires.

Dans les archives d'Elias écrites à la plume sur un papier épais, de fibres de lin et de fibres de bambou, il y avait l'histoire du monde depuis Browser – pas Browser lui-même, dont on ne savait rien ; des portraits de moralistes, des traits durs pour dessiner en médaillon Spencer Jack, Andred, Raùl et tous les autres ; une réflexion militaire sur les limites de la guérilla à la Eliedo, la disposition des corps d'armée, le plein et le délié, l'action et la réaction dans l'art de la guerre ; des développements éthiques et politiques sur le mal nécessaire, la cruauté naturelle, le caractère des hommes, les moyens et les fins de l'Histoire ; quelques lignes personnelles sur la solitude et le mystère du temps.

Mais il restait beaucoup à écrire.

Elias sentait ses forces décliner. Il avait froid, même lors des chaudes soirées d'été, sous sa veste et son gilet. En robe de chambre, un bonnet de laine gris qu'il enfonçait jusqu'à mi-front, le visage talqué, il aspirait de plus en plus à demeurer seul dans son cabinet de travail, sur le siège de velours usé où il lisait, sur la chaise rempaillée où il écrivait, à la plume et au stylet. La pièce sentait le savon gras avec lequel les servantes frottaient le parquet verni, et le tabac blond et le chanvre qu'il fumait contre les douleurs de crâne, le café contre le sommeil, l'alcool de pomme de terre contre les insomnies. Il s'éclairait à la bougie et se méfiait des recherches récentes de certains jeunes seigneurs sur le phlogistique, l'éther et l'hypothèse d'un courant électrique. Tout sentait la vieillesse entre les quatre murs de sa retraite où seule son esclave, qu'il avait fait coucher naguère sur la natte, sur le sommier aux ressorts usés, avait reçu l'autorisation de séjourner avec lui. Il gardait un souvenir heureux des cours de lecture et d'écriture prodigués à cette jeune fille butée ; c'est elle qui lui avait dit combien l'odeur de vieux de la chambre l'indisposait. Il avait ouvert la grande fenêtre sur la cour où les dogues et les dobermans de ses gardes armés dormaient. Et un peu d'air était entré, jetant sur le parquet les feuilles de son manuscrit, les pages raturées, les feuilles illustrées… Alors il avait refermé, paniqué.

Lyla n'était plus là. Personne ne l'avait jamais lu à part elle.

Ah ! Ses futurs lecteurs… Il aurait souhaité restituer le monde du temps de sa splendeur. Il savait les temps héroïques révolus, en comprenait la nécessité, mais il ne lui restait plus qu'à inventer la mélancolie pour défendre la grandeur du passé.

Fatigué par la concentration de toute l'intelligence du monde dans son seul esprit, il partait visiter son orangeraie à l'aube, foulait l'ornière des chemins entre le hangar et la grange au pignon imitant celui d'une ancienne abbaye ; il fouettait les retardataires, à la cravache. Puis la journée s'en allait en fumée dans la société et ses exigences : rendez-vous avec le gestionnaire des terres, messages, réponses et réponses aux réponses, sourires et poignées de main.

Il pressait chaque soir Atar, son délégué aux paroles données, de mettre un point final à l'alignement des chiffres du mois sur le boulier, pour pouvoir confirmer de vive voix les ordres donnés à ses féaux. Contraint de commander des hommes dociles et sans génie, il regrettait Lyla plus que tout ce qu'il avait perdu auparavant. Lyla se battait bien, avait une excellente mémoire. Et puis ce tour d'esprit supplémentaire qui lui avait fait espérer d'elle ce qu'il n'avait jamais obtenu d'un adversaire, ce que même Eliedinho lui avait refusé : lui porter le coup fatal, à l'heure dite.

Il n'était pas dupe. Dans l'ombre, à travers la moustiquaire et derrière les fenêtres, là où les chiens ne pouvaient plus la flairer, dans l'obscurité de la campagne, sous un rocher ou dans une grange abandonnée, il était certain qu'elle travaillait contre lui. Une telle intelligence n'avait pas d'autre destination que d'en détruire une autre, d'égale valeur.

11
Soulèvement

Au jour dit, tout était prêt. Luis était parvenu à prendre le dessus au Syndicat, et les hommes – d'anciens policiers pour la plupart – et les armes – des caisses entières sur des carrioles bringuebalantes – s'évanouirent dans la nature en moins d'un mois, pour rejoindre les Provinces, distribués entre les cellules abolitionnistes coordonnées par Atar.

Dans les bosquets d'acacias, Lyla connaissait de plus en plus de soucis avec sa peau : herpès et zonas, rougeurs et démangeaisons. Et comme la nouvelle de sa présence dans les parages avait été éventée, on craignait pour sa vie. Tom lui servait de garde du corps. Barbu, en pantalons dont il retroussait l'ourlet en boudin sous le genou, par coquetterie disait Lyla, Tom portait à présent un fusil. C'était un drôle de tromblon au canon évasé, qu'on chargeait par la bouche. Les hommes qui s'évadaient du Casse-Tête et qui avaient servi dans les rangs de la police prétendaient qu'Eliedinho, devenu à moitié fou, avait fait couler des canons d'après des planches illustrées d'Elias.

Mais, à l'heure du soulèvement, il semblait qu'il n'y ait plus un fourré qui ne cachât quatre ou cinq insurgés attendant le signal, le torse nu parce que l'été qui touchait à sa fin était plus chaud que jamais.

Paradant à cheval, mangeant des entrecôtes de bœuf saignantes avec des œufs crus, les guerriers qui gardaient la porte des domaines sentaient monter avec la canicule la nervosité des esclaves, les échauffourées dans les champs, l'indiscipline dans les dortoirs, qu'ils réprimaient cruellement. La coutume naissante voulait que les esclaves punis soient égorgés et vidés de leur sang au moment de rendre l'âme. Seuls les êtres inférieurs étaient faits de terre et de sang. Pour cette raison, les cavaliers avaient pris l'habitude de ne plus poser pied à terre, de dormir sur la selle et de ne pas ingérer d'aliment d'origine végétale. Lorsque le soulèvement fut déclenché, obnubilés par leurs querelles d'honneur, perclus de douleurs articulaires qu'ils ne pouvaient soigner par des plantes, maigres et condamnés à un régime hyperprotéiné, le sang presque noir, les guerriers furent débordés sans peine par la plèbe.

À minuit moins une au solstice d'été, policiers défroqués et ouvriers révolutionnaires donnèrent l'assaut au mousquet, à la fronde, au bâton pointu contre les portes de presque tous les domaines des Provinces. Sous la lune énorme et blanc argenté, qui paraissait s'être rapprochée par-dessus les massifs de thuyas, les insurgés qui sifflaient pour s'orienter encerclèrent les gardes, firent tomber les chevaux, rouèrent de coups les guerriers et les ligotèrent. Alors, dans une rumeur énorme, les granges et les dortoirs vibrèrent ; des centaines d'esclaves en sortirent dans le désordre le plus complet.

Les hommes et les femmes en proie à une rage incontrôlable versaient le sang des guerriers ligotés à terre, ouvraient même les entrailles de leurs chiens de garde. Désemparé, Tom traversa un champ recouvert de dobermans estropiés, les intestins à l'air, une patte en moins, le museau coupé, la queue brûlée, geignant dans les maïs et implorant les hommes. Il avait perdu de vue Lyla, avançait avec quelques ouvriers, écœurés, qui regardaient de loin les esclaves clouer au pilori les maîtres et leurs bêtes. Tom n'usa de son tromblon que pour abattre des dogues à l'agonie, aboyant encore faiblement, couchés sur le flanc. Il écarta les plants de maïs qui montaient à la hauteur de sa tête, découvrit à la lumière de la lune la grande cour du château qui sentait la glycine.

Lyla menait le siège de la bâtisse défendue à coups de fusil à poudre par les contremaîtres d'Elias, depuis les étages. Blessés, les esclaves avaient reculé. Sous le brouhaha étouffé par les explosions et la poussière, Lyla toussait. Les cheveux lui retombaient sur le front et sur les joues. Sa peau était irritée, couverte de plaques d'eczéma. Elle fit signe à Tom de s'approcher sur les graviers de l'ancienne cour des chiens, à une cinquantaine de mètres de la maison qu'on devinait à peine sous le nuage de fumée.

« Trouve du foin, de l'herbe sèche et entasse tout ça sur une carriole…

– Pourquoi ?

– On fera rouler par les portes de service des chariots enflammés. Ils se rendront, eux.

– Comment ça ?

– Lui ne se rendra pas. Il faudra aller le chercher. » Lyla sourit tristement, à la lumière de la lune qui perça à travers la poudre. La fièvre avait enfoncé ses beaux yeux sombres.

« Qu'est-ce qui se passe ? » Tom voulut caresser le front de Lyla, qui eut un mouvement de recul.

Se dessinant progressivement aux yeux des assaillants, debout sur les marches en marbre du petit escalier, les épaules couvertes par un manteau en fourrure d'hermine, grand et gris, une feuille roulée de tabac blond à la bouche, Elias apparut. À la main, il tenait une vieille épée à languette tripartite. Garde, fusée et pommeau avaient été nettoyés et réassemblés. L'arme longue et fine, en forme de pistil, raclait le sol de marbre.

« Qui, parmi vous, sait se battre ? »

Il descendit les marches, l'air assuré. Quelques ouvriers, des hommes de Tom, le mirent en joue au mousqueton. Mais Lyla se leva derrière le secrétaire et leur fit signe de baisser l'arme.

« L'avenir est à vous, paraît-il. » Il sourit. « Est-ce que vous savez seulement ce que c'est ?

– Tuons-le, dit Tom à mi-voix.

– Non, répliqua Lyla.

– Personne ici n'osera me tirer dessus comme un *lâche.* » Insistant sur le dernier mot, il cria presque, et les esclaves se souvinrent du bruit cinglant de la cravache. Il écrasa sa cigarette du talon. « Parce que ce serait recommencer toute l'histoire sur un bien mauvais geste, n'est-ce pas ? »

Les combats, les tirs des contremaîtres à l'étage et ceux des insurgés derrière les barricades, avaient cessé.

Tom demanda à Lyla, qui frissonnait : « Pourquoi personne ne l'attaque-t-il ? »

Lui et les hommes du Casse-Tête ne comprenaient pas. Ils n'avaient aucun respect pour Eliedinho, alors que les esclaves en avaient pour Elias.

« Parce que nous le connaissons. »

Elle passa la jambe par-dessus le meuble en bois et regarda Tom droit dans les yeux. Son visage avait changé. Il eut le sentiment qu'une sorte de lèpre la rongeait désormais. « Donne-moi ton bâton. » Sans poser de question, Tom le lui donna. Lyla le soupesa, en ôta le pommeau de corne et laissa filer la pointe de métal sur la paume de sa main, qui saigna.

« Lyla ? »

La voix serrée, Elias avait reconnu son ancienne esclave, maintenant que la fumée s'était tout à fait dissipée. Elle s'avança dans la cour, et les graviers crissèrent sous ses pieds nus.

« Qu'on en finisse. »

Lyla trébucha contre le cadavre d'un chien, les quatre pattes en croix, cloué sur le sol. Elle défit sa chemise ; sa poitrine était serrée dans un linge blanc rectangulaire. Elias la contempla. Il aurait sans doute voulu lui parler ; mais il vit sa face, et puis la maladie. Tom eut le sentiment qu'il était sur le point de lui proposer de la soigner, mais elle attaqua et le combat s'engagea.

Elle était trempée de sueur. Pourtant, dans la nuit éclairée par la lune, Lyla se déplaçait vivement, le bâton dressé vers son adversaire. Il était vieux ; tout le monde le vit dès la première passe d'armes. L'homme avait appris à Lyla à croiser le bois, et il avait été bon professeur. Mais Elias, lent, les réflexes diminués par l'âge, était condamné à bretter dans le vide, désormais ; au premier assaut, Lyla entailla son bras droit, au deuxième l'autre bras. En sarouel, le ventre plat et tendu, les cheveux noirs ramenés vers l'arrière par un petit fil argenté, la poitrine barrée par le linge blanc, Lyla rongeait la défense du vieil homme comme le vent et la mer érodent une falaise, mais à coups rapides et répétés. Un instant, Elias vit le linge qui protégeait les seins de son adversaire se rougir de sang, alors même qu'il ne l'avait pas touchée. Interloqué, il baissa la garde, et d'une flèche elle le transperça, à l'endroit exact du cœur.

Lorsque Elias tomba à genoux sur les gravillons, la main encore crispée sur l'épée, Tom et ses hommes virent Lyla chanceler sous le coup d'un brusque hoquet. La fièvre qui l'empourprait, sa maladie de peau – elle lâcha le bâton pointu, tourna le dos à Elias et regarda Tom, le devoir accompli, la bête terrassée. Puis ferma l'œil.

Le temps qu'il coure à sa rencontre, elle était tombée. Il glissa une main derrière sa nuque ; de l'autre il prit son pouls.

« Allez-vous-en ! » hurla Tom aux esclaves qui, tout à la joie de la défaite du maître, avaient passé la grande porte de cuivre, pour affronter les contremaîtres retranchés. Mort à genoux et la bouche ouverte, Elias paraissait contempler toujours son œuvre, l'orangeraie dévastée et la maison qui sentait la glycine, qui résonna bientôt de cris et de coups de feu.

« Allez-vous-en, bon sang, ils vont se rendre, maintenant ! » Mais personne ne l'écouta. Il allongea Lyla près de la rivière – là où elle s'était lavée, lorsqu'elle, Tom et Luis avaient passé la nuit et la journée dans l'appentis, à quelques centaines de mètres ; la grange était déjà calcinée. Tom regarda Lyla inerte, le corps rongé par un mal qui était remonté depuis les cuisses ; délicatement, il défit le bandeau sur sa poitrine, à vif. Elle ne respirait plus.

Des cris firent se retourner Tom : le feu avait pris dans la grande maison.

Le corps d'Elias, à genoux, comme s'il priait, brûlait, une flamme à la place de la tête, telle une allumette. Des milliers de feuilles de papier recouvertes d'une écriture serrée volèrent dans l'air nocturne – le manuscrit d'Elias, dispersé, roulant dans la fumée, avant de retomber dans les braises de l'incendie et de partir en cendres.

Atar réclamait déjà des bras pour puiser de l'eau à la rivière, dans des seaux : les champs de maïs s'étaient embrasés à leur tour.

Tom rappela ses hommes, hissa le corps de Lyla sur une carriole, pour rentrer chez lui. Comme partout dans les Provinces, dans toutes les propriétés, dans le calme ou dans le sang, les silhouettes des insurgés se découpèrent sur le fond de la lune énorme, blanche et ronde, pupille silencieuse d'un œil curieux – l'œil unique d'une chose très ancienne qu'on avait réveillée.

12
Chute

En rentrant au Casse-Tête avec sa colonne de combattants, Tom trouva la cité en ruine. Des bagarres de rue éclataient encore, comme des étincelles sur des braises toujours chaudes. Acculé dans sa résidence au sommet des barres de métal, Eliedinho avait fait donner le canon sur la foule. Pris de fièvre meurtrière, persuadé que le peuple projetait de l'abattre à coups de pierre dans son sommeil, il avait donné l'ordre de tirer sur les bas quartiers toute une nuit, sous les étoiles qu'il contemplait en expliquant à ses officiers effrayés qu'il serait le nouveau Browser, celui qui pour accomplir l'Éternité tuerait tous les hommes. Si le temps n'était pas resté suspendu, c'était bien parce que des êtres pensants avaient subsisté. Eliedinho prêchait donc leur anéantissement pour fermer l'univers tout à fait. Du sang coulait toujours entre les tentes blanches, déchirées, sur le sol, qui claquaient au vent, dans les faubourgs de ce qui avait été la ville.

Tom chercha Luis, qui avait été vu donnant l'assaut le premier, sur la grande barricade devant le cercle des derniers policiers fidèles au tyran. Lorsque le Casse-Tête s'était effondré comme un jeu de mikado sous le dernier assaut, son corps avait probablement été enseveli avec quelques centaines d'autres sous les palans, les colonnes rouillées, les rails et les poutrelles. Eliedinho, lui, était encore vivant lorsque les insurgés l'avaient découvert dans les décombres, une jambe brisée et la moitié du corps écrasée par un contrepoids. Shelly, non loin de lui, respirait toujours, défigurée et les cheveux rougis par le sang.

Tom les retrouva pendus dans le parc, lynchés par la foule, le cou pris dans les cordelettes d'une Console vermoulue accrochée à une poutre de métal. Il resta là une minute, contemplant le fils d'Eliedo et sa compagne méconnaissables qui se balançaient dans le vent du matin. La corde s'enroulait sur elle-même et les pendus tournaient au ralenti, comme des toupies en bout de course. Quelques oiseaux, déjà, s'étaient perchés sur leurs épaules et attaquaient du bec les chairs de leurs visages cireux, pour partie brûlés.

À côté de Tom, une très vieille femme pleurait devant le spectacle auquel le peuple était déjà indifférent, recherchant dans les ordures, les éboulis et la charpente à bas, de quoi reconstruire des abris pour la nuit ; la très vieille femme, c'était Anita. Elle avait vécu assez longtemps pour voir son enfant mourir. Elle avait assisté à la fin. Inconsolable, elle regardait le gros corps informe du tyran, comme une outre vide qui dansait mollement, et les cordelettes en désordre au-dessus de sa tête et de celle de Shelly, poupée noircie, qui s'étaient répandues comme les entrailles d'un monstre mort, vaincu.

Sous les pieds tranchés des pendus, une masse sombre,

recouverte d'un drap noir, reposait sur une estrade de fortune : le Placard, rescapé de l'incendie, que personne parmi les pilleurs n'osait approcher.

« Finissez-en…, chuchota Anita à Tom. S'il vous plaît. »

Un instant, il crut sentir une main dans la sienne. Mais à droite, à gauche, sous la brise de la fin d'été, il n'y avait déjà plus personne. Tom se sentit poussé par une force qui le dépassait, la voix du Placard lui-même, réclamant qu'on l'achève.

Il saisit une hache, découvrit sous le grand drap noir le Placard, dernier vestige de ce que Browser avait trouvé aux limites de l'univers. Il se frotta l'avant-bras, planta un premier grand coup dans le bois déjà moisi du Placard.

Tout le monde – ouvriers, femmes, enfants, officiers et affranchis – poussa un grand cri.

Le Placard était fendu comme une vieille bûche, ouvert sur un néant marbré et couvert de nervures, de fines lignes blanchâtres. La structure de l'univers.

Tom donna encore deux coups rapprochés, puis un troisième. Et le néant noir se brisa, les cordelettes s'éparpillèrent.

Dans l'instant, de vagues souvenirs se métamorphosèrent en fossiles concrets, les ruines réapparurent dans la nature et le cosmos retrouva la mémoire. Des fantômes passèrent, trépassèrent. Les nœuds dans la gorge du monde se délièrent, comme les lacets d'une chaussure au pied d'un géant. Les morts trouvèrent la porte des cimetières. Les arbres généalogiques repoussèrent sur les souches coupées. La technologie s'insinua dans les objets qu'on avait crus inutiles, les histoires séparées fondirent de nouveau les unes dans les autres – oubli dans le souvenir, souvenir dans l'oubli – et le savoir s'accumula en encyclopédies.

Personne ne pensa vivre un événement à proprement parler, simplement la sortie d'une amnésie. Tom eut le sentiment que son esprit avait été un papier froissé puis remis à plat.

On s'éveilla d'un cauchemar à la fois interminable et bref.

Tom hésita et descendit de l'estrade sur laquelle gisait le placard, qui n'était plus qu'un tas de bois noir, en mille morceaux, bon à brûler. Cherchant Anita, il la trouva morte parmi d'autres, allongée près d'un puits, l'air apaisée – il referma ses yeux et couvrit son visage. En se relevant, Tom tituba, personne ne fit attention à lui ; pensant à Luis et à Lyla, il s'enfonça dans la foule, comme s'il plongeait pour nager dans un océan humain, sans rivage à l'horizon. Déjà sa silhouette s'effaçait parmi les centaines, les milliers de visages d'hommes et de femmes, qui parlaient sur la grand-place – et le brouhaha l'engloutit.

CONSOLATION

Pour sortir de la douche, une infirmière venait l'aider.

La jeune femme la séchait à l'aide de serviettes gansées d'un galon argenté et l'habillait d'un long peignoir jaune et vert. Puis elle s'asseyait au fond de son fauteuil d'osier à bascule, souriait imperceptiblement et, quand elle en avait la force, remerciait l'infirmière.

Assise, elle contemplait derrière les rideaux de la fenêtre le jardin d'acclimatation qui venait d'ouvrir, les massifs de magnolias le long des murets de l'hospice, les poubelles pour le recyclage des déchets, les allées dallées rose saumon et les petits pavillons construits sur ordre de l'assemblée constituante.

Comme d'autres, elle s'était réveillée d'un coma collectif, d'une narcolepsie universelle. Combien de temps ? Astrophysiciens, géologues et minéralogistes collectaient les restes fossilisés et les météorites ; ils mesuraient le ralentissement possible de la vitesse de la lumière, évaluaient l'ampleur de la mise entre parenthèses de l'expansion de l'univers. On évoquait un maillon brisé dans les chaînes causales ou l'équivalent d'un arrêt cardiaque du cosmos, une fibrillation des rythmes internes de la matière. C'était l'affaire des jeunes gens. De nouvelles sciences naissaient chaque semaine de l'étude hypothétique du phénomène, encore incompris.

Elle aimait l'hospice, la tranquillité qui y régnait dès qu'elle avait pris ses cachets. Tout allait et venait au rythme de son rocking-chair, une couverture à l'écossaise sur les genoux. Le soleil était monté, il était descendu. Les jeunes grandissaient, puis ils vieilliraient. Sur les chemins, au sol, quelques branches cassées et de la mauvaise herbe. La résidence avait été restaurée : l'aile ouest était contemporaine, près de la tour recouverte de crépi, de lichen, et d'un ancien silo. Jadis, à ce que disait le médecin-chef, l'endroit avait servi de demeure à un propriétaire mystérieusement disparu bien avant la Révolution. On s'était même souvenu de son nom et on l'avait donné à l'hôpital de fortune : hôpital Dreamer.

Elle aurait aimé se promener parfois dehors en compagnie de son chien. Il n'était plus là.

Tout mourait ces derniers temps, ça avait été la fin de la parenthèse et ce serait bientôt le printemps. Sur les larges pelouses, les jeunes infirmières et les jeunes infirmiers, en blanc, nouveau-nés, riaient sans s'étonner. À leurs yeux, les bourgeons sur les branches étaient naturels. Jadis, les fleurs ne flétrissaient jamais. Toujours les mêmes. À l'automne prochain, les fleurs seraient mortes, et les infirmières et les infirmiers, la mine chagrinée, marcheraient sans faire attention sur les parterres jaunis.

Elle ouvrit la bouche et ses poumons s'arrêtèrent. Puis elle déglutit. Insuffisance respiratoire. Quand elle rouvrit les yeux, la jeune infirmière était penchée sur elle et elle l'appelait par son numéro ; sur les registres, les patients rescapés du délire universel, hagards et inconscients, avaient hérité de matricules, le temps de retrouver leur identité nominative. La patiente de la chambre neuf avait fait partie de la classe des « architemporels ». Aucun n'avait survécu plus de six mois et elle était la dernière à être née avant la suspension provisoire du temps, dans un coin reculé d'Australie.

« Des messieurs veulent vous voir. Ils ont des questions pour vous. Vous n'êtes pas obligée. »

Elle avait faim, mais ce n'était pas l'heure de manger. Elle regarda le ciel : il était bleu. Elle accepta.

Les voilà. Deux écrivains, un petit, un gras.

« Vous êtes jeunes ? »

Ils étaient gentils. Au bord du lit, l'un des deux s'assit, l'autre pas. « Nous sommes nés après, madame.

– Est-ce que vous vous souvenez ?

– Oui. Je me souviens. C'est fini.

– Vous êtes la dernière.

– Est-ce que vous avez connu David Browser ? »

Elle cligna des yeux. Se rappela les couloirs du lycée.

Non, elle ne voyait pas.

Il lui expliqua : « Nous écrivons une chronique des événements, madame. Un livre. »

Quand elle rouvre les yeux, elle voit le lycée derrière son épaule, en marchant au-dessus des docks de l'aéroport, le long du chemin de fer. Sur les haut panneaux près du château d'eau, des publicités déchirées, sous le pont métallique du bruit, des vendeurs de voiture d'occasion, de la vie dans les bosquets, des poubelles pleines, des êtres humains. Elle reste plantée au pied de la butte et regarde le square en surplomb, tout en pensant à ce garçon. Il ne veut pas d'elle. Les années qui suivent, elle travaille. Et puis son mari, ses enfants et les cadeaux venus du ciel par le grand vaisseau vide, le Serpent. Enfin les Consoles. Elle vit seule dans une propriété loin du Chalet, loin des Lisières, vers le nord et à l'écart de la Révolution.

« D'après les registres, vous auriez été en classe avec lui. Browser.

– Je me souviens, répondit-elle d'une voix claire. Oh, un garçon tout ce qu'il y a de plus normal. Et de beaux cheveux blonds. »

Elle reprit sa respiration.

« Le pauvre. Son père… Sa mère. Browser. Non, il n'avait rien de particulier. »

Son regard s'était éteint. « Et c'est tout.

– C'est tout ?

– J'ai eu un mari, quatre enfants. »

Le plus petit se releva.

« Merci, madame.

– Qu'est-ce que vous dites qu'il a fait, déjà ? C'est qui ? »

Midi sonna.

« David Browser. Il a arrêté le temps et », il soupira, « on ne saura jamais pourquoi. »

Elle regarda par la fenêtre, bâilla, se détendit, sous son

peignoir souple et pelucheux, et ses paupières retombèrent – mais elle voyait encore, rassurant et flou, le jardin d'un vert vif derrière la vitre translucide.

Lorsqu'elle rouvrit les yeux, l'écrivain était resté sur le seuil de la porte.

« Ah, j'ai oublié quelque chose, madame... *Quel est votre nom ?* »

La femme âgée sourit, les deux mains posées à plat sur une vieille enveloppe décachetée et jaunie, au chaud sous un pli de la couverture à carreaux. La longue lettre qu'elle contenait commençait par son prénom, soigneusement calligraphié à l'encre bleue, de la main d'un adolescent timide.

Elle s'en souvenait – comme si c'était hier.

« Mon nom, jeune homme, c'est Consolación. »

Crédits

Les Cordelettes de Browser est hanté par des citations, des images, l'influence ou le lointain souvenir d'œuvres des artistes suivants :

J.J. Abrams, Jack Arnold, Saul Bass, Jorge Luis Borges, François Bourgeon, Ray Bradbury, Serge Brussolo, James Cameron, Joseph Conrad, Alain Damasio, Michel Demuth, Sylvie Denis, Alexandre Dumas, Andreas Eschbach, William Faulkner, Pierrette Fleutiaux, Paul Gillon, Christian Godard & Julio Ribera, William Golding, Julien Gracq, Charles Harness, Nathalie et Charles Henneberg, Hans Henny Jahnn, Kenneth Johnson, Nigel Kneale, Alfred Kubin, Stanley Kubrick, Glen A. Larson, Stan Lee & Steve Ditko, Ursula Le Guin, Fritz Leiber, Stanislas Lem, Léo, George Lucas, Manchu, Chris Marker, Michael Marrak, Richard Matheson, Patrick McGohan, Jean-Claude Mézières & Pierre Christin, Robyn & Rand Miller, Moebius, Ronald D. Moore, Shi Nai'an, Gérard de Nerval, Kurt Neumann, Georges Pérec, Christopher Priest, Mike Resnick, le Douanier Rousseau, Takao Saito, François Schuiten & Benoît Peeters, J.H. Rosny Aîné, Ridley Scott, Walter Scott, Rod Serling, Robert Silverberg, Dave Sim, Cordwainer Smith, Jeff Smith, Steven Spielberg, Robert-Louis Stevenson, Arkadi & Boris Strougatski, Theodor Sturgeon, Andreï Tarkovski,

Osamu Tezuka, J.R.R. Tolkien, Douglas Trumbull, Naoki Urasawa, Paul Verlaine, Jules Verne, Antoine Volodine, Kurt Vonnegut, Joss Whedon, Gene Wolfe, Stephen Wul, Makoto Yukimura, Ievgueni Zamiatine…

Qu'ils en soient remerciés.

Table